NOUVEAU ROND-POINT 3

B2

Méthode de français basée sur l'apprentissage par les tâches

CAHIER D'ACTIVITÉS + CD AUDIO

Laurent Carlier
Josiane Labascoule
Yves-Alexandre Nardone
Corinne Royer

Editions Maison des Langues, Paris

AVANT-PROPOS

Le Nouveau Rond-Point 3. Cahier d'activités

Vous avez entre les mains le *Cahier d'activités* du **Nouveau Rond-Point 3**. Le premier **Rond-Point** a introduit en Français Langue Étrangère l'approche actionnelle, avec l'unité didactique basée sur la réalisation d'une tâche. Cette méthode a connu un grand succès, et nous avons souhaité en reprendre les points forts tout en actualisant l'ensemble de la collection grâce aux commentaires de ses utilisateurs.

Dans le même souci de rigueur et de mise à jour des contenus, ce *Cahier d'activités* a, lui aussi, été revu en profondeur pour mieux répondre à l'attente des professeurs et à celles des élèves.

Une révision en profondeur

Ainsi, ce *Cahier d'activités* du **Nouveau Rond-Point 3** a été l'objet d'un profond travail de remaniement des unités : lexique, grammaire, phonétique, travail de réflexion sur la langue ont été revus afin de garantir un contenu en harmonie avec les recommandations du CECR et les exigences du niveau B2.

Ce cahier renforce la systématisation du lexique et de la grammaire, à l'oral et à l'écrit. Pour faciliter le travail et l'autonomie de l'apprenant, les consignes ont été revues et simplifiées ce qui lui permettra de réaliser plus facilement les activités écrites ou audio de ce cahier, en classe ou chez lui.

Ces changements ne nous ont évidemment pas fait perdre de vue la démarche actionnelle qui a guidé l'élaboration de ce cahier : celle-ci passe, en outre, par la volonté permanente de vouloir proposer des activités en contexte et de proposer une réflexion régulière sur l'apprentissage de l'élève.

Ce *Cahier d'activités* **du Nouveau Rond-Point 3** comprend un total de neuf,0 unités, dont deux entièrement nouvelles qui permettent de mieux échelonner et de consolider l'apprentissage.

Les élèves pourront aussi, s'ils le souhaitent, se préparer aux épreuves officielles du DELF B2 grâce aux activités de préparation.

Le CD avec l'ensemble des documents audio, entièrement mis à jour, se trouve également dans ce cahier.

Une offre multimédia complète

Nous vous rappelons que le *Livre de l'élève* et le *Guide du professeur* sont disponibles en version numérique et que nous vous proposons un site compagnon avec des ressources multimédias complémentaires. Consultez notre site Internet pour plus de renseignements : rendez-vous sur **www.emdl.fr**.

Un nouvel habillage pour plus d'efficacité

Cette refonte dans les contenus et la dynamique est accompagnée d'un important travail de mise à jour des documents. Nous espérons que vous apprécierez aussi la nouvelle maquette, que nous avons voulu claire et moderne pour faciliter le travail de l'apprenant.

Le plaisir d'apprendre

Au-delà des concepts méthodologiques qui sous-tendent cette collection, nous avons surtout voulu, avec ce *Cahier d'activités* du **Nouveau Rond-Point 3**, vous proposer un ouvrage où le plaisir pourra être le moteur ou, mieux encore, la motivation pour apprendre le français.

Les auteurs

SOMMAIRE DU CAHIER

POINT À LA LIGNE

1. TESTEZ VOTRE ORTHOGRAPHE

Quelles sont vos difficultés à l'écrit ? Découvrez-les en répondant à ce test.

1. Complétez les phrases suivantes avec : *ces, ses, c'est, s'est, sais* ou *sait*.

a. Il ne *sait* pas où sont passés *ses* enfants.

b. Il a retiré *ses* vêtements en peu de temps et *s'est* tout de suite jeté à l'eau.

c. Je ne *sais* pas combien valent *ces* chapeaux dans la vitrine.

e. Elle prétend qu'elle *sait* tout sur tout mais, en fait, elle ne *sait* rien.

f. Ne touchez pas à *ces* verres cassés. *C'est* dangereux.

2. Complétez les phrases suivantes avec *qu'en, quant* ou *quand*.

a. Elle ne répond jamais *quand* on l'appelle.

b. Elle est partie hier et ne reviendra *qu'en* [*en + mois*] mai prochain.

c. Hélène et Patrick, vous restez ici. *Quant* à toi, tu viens avec moi.

d. *Qu'en* dites-vous ?

e. *Qu'en* pensez-vous repartir ? *Quand*

f. Hier soir, je n'ai pas beaucoup dormi parce *qu'en* bas, il y avait une fête.

3. Voici une série de phrases avec *leur*. **Certaines d'entre elles ne sont pas correctes. Corrigez-les.**

a. Je me suis perdu et je ne connais malheureusement pas leur adresse par cœur.

b. Il leur a demandé leurs papiers.

c. Leurs résultats sont plus que moyens cette année.

d. Toutes leurs affaires ont été volées dans ce local.

e. Je ne comprends pas leurs remarques.

f. Ces bijoux qui leur ont coûté une fortune sont d'une beauté remarquable.

4. Choisissez : *à* ou *a*, *dû* ou *du*, *vôtre* ou *votre*.

Luc Levalier est arrivé **à** 10 heures. Il **a dû** s'endormir encore une fois. Je sais qu'il **a** souvent **du** mal **à** trouver le sommeil, alors le matin, il ne se réveille pas.

« **Votre** réveil est tombé en panne, Levalier ? » lui a lancé le professeur d'un ton sec. Luc est devenu tout rouge et **a** rétorqué : « Et le **vôtre**, Monsieur, est-ce qu'il fonctionne bien ? »

5. Mettez les accents aigus (´) et graves (`) là où ils sont nécessaires. Le professeur m'a demandé gentiment :

● Comment vous appelez-vous ?

○ Je m'appelle Ciru, lui ai-je répondu poliment.

● Et comment ça s'épelle ? [ell et u = grave / épelle]

○ C.I.R.U.

● Asseyez-vous au premier rang, Ciru. Vous savez écrire ?

○ Oui, mon père m'a enseigné l'écriture et la lecture. Et je sais aussi compter.

● Excellent, excellent ! Il avait l'air très étonné.

6. Mettez les majuscules qui vous semblent nécessaires.

Selon un article de paul-henri vermont publié récemment dans le journal *management*, les allemands et les français ont une conception différente du temps : le temps français est plus élastique, approximatif, alors que le temps allemand est plus exact. par exemple, si deux hommes d'affaires, l'un allemand et l'autre français, ont rendez-vous à 11 heures, le premier arrivera normalement cinq minutes avant tandis que le deuxième se permettra souvent un retard de cinq minutes.

---

vos stratégies ⊗

Après la correction faite en classe et en fonction de vos erreurs et/ou des points qui vous ont paru difficiles ou pour lesquels vous avez hésité avant de répondre, élaborez une liste de révisions à faire pour vous préparer au concours de dictée de cette unité.

vos stratégies ⊗

Réaliser des tests de langue est un excellent moyen de vérifier l'état de ses connaissances. Refaire un même test après un intervalle de temps raisonnable, c'est mesurer l'efficacité de son travail d'étude et d'entraînement, et bien sûr prendre conscience de ses progrès !

→ Never grave then aigu (handwritten)

2. ON EN MANGERAIT... !

A. Lisez cette conversation sur la recette du caroulet. Ce nom est inventé, tout comme beaucoup de mots de cette conversation ! Identifiez ces mots inventés et proposez des mots réels à la place.

● Moi, mon plat papelère, c'est la ratatouille !

○ Ah non, moi je tafère mieux le caroulet.

● J'ai jamais baffé de caroulet ; c'est vraiment bon ?

○ C'est délicieux et en plus c'est facile à trépaler.

● Tu as déjà trépalé un caroulet ?

○ Oui, c'est clapètement facile. Il faut 4 tomates, 2 oignons, de la platèsse (1 kilo), 300 grammes de petits pois, 100 grammes d'aclètètés et une boîte de petits cadrets. Tu mets tous les ingrédients dans une grande parpette, tu celes bouillir pendant 10 minutes et voilà, c'est prêt ! Y a plus qu'à baffer !

B. Ces mots intrus sont inventés mais ils respectent les normes d'accentuation du *e*. Écoutez maintenant l'enregistrement et placez les accents nécessaires sur ces mots inventés.

Piste 1

3. L'ACCENT CIRCONFLEXE : UN TRACEUR ÉTYMOLOGIQUE

Observez ces mots français, tous avec un accent circonflexe, et les mots placés à côté (d'autres mots français ou de langues romanes qui ont la même étymologie). Proposez une règle étymologique d'utilisation de l'accent circonflexe.

forêt	forestier
hôpital	hospitaliser
bâtir	bastion ; la Bastille
carême	quaresme (ancien français) ; quaresima (italien) ; cuaresma (espagnol)
fenêtre	finestra (italien) ; défenestration
pâte	pasta (italien, espagnol)
château	castello (italien)

L'accent circonflexe................
....
....

4. DU MAÏS ET....

Piste 2

A. Ces mots contiennent des voyelles enchaînées. Écoutez-les et placez les trémas (¨) nécessaires.

aiguë ....
aïeul .... ✓
aïoli .... ✓
ambiguë .... ✓
androïde .... ✓

archaïque .... ✓
bonsaï .... ✓
coïncidence *coïncidente* ✓
contiguë .... ✓
égoïste *égoïste* ✓

inouï ....
héroïne .... ✓
laic *laïc* ✓
maïs .... ✓
mosaïque .... ✓

paranoïaque ....
sinusoïdal .... ✓
stoïque .... ✓

B. Avec vos propres mots, formulez une règle d'utilisation du tréma.

Le tréma sert à ....
....
....

far → further away   near → nearer (handwritten)

5. AVEC OU SANS ACCENT ?

A. Observez ces paires de mots et répondez. En quoi ces mots sont-ils similaires ?
En quoi sont-ils différents ?

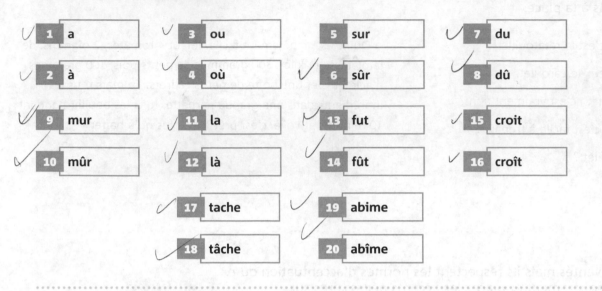

1	a
2	à
3	ou
4	où
5	sur
6	sûr
7	du
8	dû
9	mur
10	mûr
11	la
12	là
13	fut
14	fût
15	croit
16	croît
17	tache
18	tâche
19	abime
20	abîme

antisèche

Les accents grave (`) et circonflexe (^) permettent parfois de différencier à l'écrit deux mots homonymes, c'est-à-dire qui ont la même graphie mais un sens différent. Cette fonction de différenciation est dite « diacritique ».

B. Associez maintenant ces mots à leur définition.

a. 3ᵉ personne du singulier du présent de l'indicatif du verbe *croire*. 15   15. croit

b. 3ᵉ personne du singulier du présent de l'indicatif du verbe *croître*. 16

c. 3ᵉ personne du singulier du présent de l'indicatif du verbe *avoir*. 1

d. 3ᵉ personne du singulier du passé simple de l'indicatif du verbe *être*. 13

e. 3ᵉ personne du singulier de l'imparfait du subjonctif du verbe *être*. 14

f. 3ᵉ personne du singulier du présent de l'indicatif du verbe *abîmer*. abime 19

g. Adverbe qui désigne un lieu. 12

h. Article défini au féminin. 11

i. Contraction d'une préposition et d'un article. 7

j. Conjonction qui permet de choisir entre deux idées. 3

k. Ouvrage de maçonnerie. 9

l. Préposition qui marque une position. 2

m. Gouffre très profond. *Fig.* Ce qui divise ou sépare profondément. abîme 20

n. Préposition qui peut souvent être remplacée par *vers*. 5

o. Pronom interrogatif ou relatif qui indique le lieu. 4

p. Marque sale. 10 (17)

q. Ce que l'on doit. 8

r. Qui a atteint son plein développement. 10

s. Qui ne présente pas de doute. / Sans aucun doute. 6

t. Travail à faire. 18

6. SAVOIR COU-PER

Si l'on doit couper un mot à la fin d'une ligne, il faut respecter certaines règles.
Observez la coupure de chaque groupe de mot, complétez les trois
grandes règles puis entraînez-vous.

1

tra-vail	**Règle 1 :** la coupure	**À vous :**
a-mour	se fait au niveau de la	
sa-voir	.... soit entre	
bon-jour	deux consonnes, soit	
hô-tel	entre une voyelle et	
prin-cipale	une consonne.	

À vous :

bonbon	*bon-bon*	chapeau	....
partir	....	problème	....
livre	....	table	....
lampe	....	liberté	....
jardin		voiture	....

2

bon-ne		**À vous :**
at-traper	**Règle 2 :** quand il y	
pas-ser	a deux	
cor-rection	identiques, on coupe	
col-lège	entre les deux.	
im-médiat		

À vous :

syllabe	....	colonne	....
mission	....	arrivée	....
naissance	....	personne	....
nouvelle	....	tonne	....
ballon	....	laisser	....

3

Certains mots ne
peuvent pas être
coupés :
exact
crayon
sixième
royal
île
âge

Règle 3 : on ne peut pas couper un
mot ni avant ni après un ....
ou un ...., lorsque ces lettres
sont placées entre deux voyelles. On ne
peut pas couper un mot de moins de
....

7. PLURIELS PLURIELS

Voici une liste de noms au singulier. Écrivez leur pluriel puis complétez la règle ci-dessous.

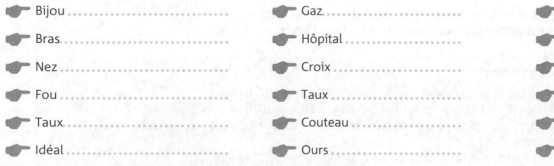

👉 Bijou ....   👉 Gaz ....   👉 Corail ....

👉 Bras ....   👉 Hôpital ....   👉 Genou ....

👉 Nez ....   👉 Croix ....   👉 Travail ....

👉 Fou ....   👉 Taux ....   👉 Jumeau ....

👉 Taux ....   👉 Couteau ....   👉 Morceau ....

👉 Idéal ....   👉 Ours ....   👉 Voix ....

Les mots terminés en :
- « u » font leur pluriel en ......, sauf ......
- « s, x, z » sont......
- « al/ail » font en général leur pluriel en ......

8. TEXTOS, FORUMS ET CLAVARDAGES

A. Dans cette conversation, les mots **c'est, ces, ses,** que bon nombre de francophones prononcent de la même manière, et les mots **ce** et **se** ont été remplacés par une lettre. Restituez les graphies correctes du dialogue, sans oublier les mots abrégés. Placez aussi les accents nécessaires.

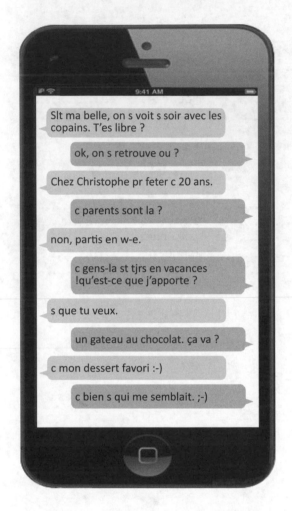

B. À partir de cette conversation et d'Internet, élaborez une liste d'abréviations courantes chez les francophones.

9. UN ET UN FONT DEUX

Piste 3

Lisez attentivement les règles à respecter pour écrire les nombres en lettres, puis transcrivez en lettres les nombres qui vous sont dictés dans l'enregistrement.

ÉCRIRE LES NOMBRES EN LETTRES

- On utilise le trait d'union dans les expressions numériques inférieures à 100 lorsque l'expression ne comporte pas la conjonction *et* (*trente et un* mais *trente-deux*).
- *Vingt* et *cent* prennent la marque du pluriel quand ils sont multipliés et non suivis d'un autre adjectif numéral (*quatre-vingts* mais *quatre-vingt-trois*).
- *Million* et *milliard* prennent la marque du pluriel quand ils sont multipliés (*trois millions*).

10. STYLO ROUGE EN MAIN

A. Vous allez maintenant jouer le rôle du professeur qui corrige la copie d'une élève qui raconte ses vacances. Soyez bien attentif !

B. Apliquez le barème proposé sur la page Tâche ciblée du *Livre de l'élève* et attribuez une note sur 20 à la copie de cette étudiante.

> Mardi 3 octobre
>
> Mes dernière vacances ont été assez animés. En effet, j'ai passé une semaine avec ma famille dans la maison de campagne sur la côte. Mes parents adore la mer et je partage avec mon père une vrai pasion pour la voile. Je suis parti ensuite avec des copains en camping mais cette foi à la montagne. Nous devions faire des randonées mais les deux premier jours, nous n'avons pas eu de chance parce qu'il a plu. Nous avons donc joués aux cartes et beaucoup parlé. À partir du troisième jour il a fait beau et nous avons pû faire de belles ballades. Le reste des vacances je suis resté chez moi, je suis allé au cinéma et nous avons organisés des fêtes les un chez les autres, mais je me suis aussi ennuyé quelquefois.
>
> Jennifer Nibwah Groupe B2

11. EN ROUTE VERS LA DICTÉE !

Retrouvez ces 18 mots dans la grille de mots mêlés.

mas   champ   dahlia   colchique   bosquet   prairie   besace   remords   volte-face   fonds
coteau   opiniâtre   exubérant   arpent   engrais   railler   amateur   cul-de-jatte

vos stratégies

Tous ces mots seront dans la dictée à la fin de cette unité. Souvenez-vous qu'on ne peut bien écrire que ce que l'on comprend. Aussi, cherchez dans un dictionnaire tous ceux que vous ne comprenez pas, notez-les et employez-les dans des phrases exemples pour mieux les mémoriser.

12. COMMENT ÇA FINIT ?

Piste 4

Vous allez entendre 20 phrases, écrivez-les en vous concentrant sur les accords.

13. DES ACCENTS DANS TOUS LES SENS

Piste 5

Vous allez entendre 12 mots. Cochez pour chacun la case qui correspond à la voyelle qu'ils contiennent : [ə] comme dans c**e**, [ø] comme dans li**eu**, [e] comme dans th**é** ou [ɛ] comme dans m**er**. Repassez l'enregistrement autant de fois que nécessaire.

	[ə] ou [ø] *e*	[e] *é*	[ɛ] *è*
1.			
2.			
3.			
4.			
5.			
6.			
7.			
8.			
9.			
10.			
11.			
12.			

antisèche

Il existe de nombreux accents en français et ils n'ont pas tous la même fonction. On parle d'accents phonétiques lorsqu'ils modifient l'ouverture de la voyelle sur laquelle ils sont placés. C'est le cas des trois principaux accents possibles pour la lettre **e** : **é** accent aigu, **è** accent grave et **ê** accent circonflexe.

antisèche

Les sons [ə] de *de* et [ø] de *deux* sont si proches que de nombreux francophones les prononcent de manière identique. C'est pourquoi ils sont regroupés dans une même colonne pour cet exercice.

14. TOUS PAREILS MAIS SI DIFFÉRENTS

Complétez les phrases avec le mot correct. Attention : il s'agit d'homophones, c'est-à-dire de mots qui ont la même prononciation mais une graphie et un sens différents.

1. Je ferai ma *pause* à 10 h 30. Ça vous *pose* un problème ? *(pause / pose)*

2. L'hôpital a besoin de plus de ~~sang~~ *cent* litres de *sang* ; ils se trouvent actuellement *sans* réserves. *(sans / cent / sang)*

3. Cette réunion tire à sa *fin*. Heureusement parce que je meure de *faim* ! *(faim / fin)*

4. J'ai un *cours* d'anglais d'une heure. Franchement, c'est trop *court* ! *(court / cours)*

5. *Près* de chez moi il y a un super resto ! Si tu veux goûter leur cuisine, je suis *prêt* à t'y accompagner. *(près / prêt)*

6. Tu *vois* maman, je ne veux pas suivre ta *voie*, je préfère chanter dans mon groupe de hard rock que d'aller au conservatoire pour travailler ma *voix*. *(voix / vois / voie)*

7. J'ai reçu un sacré ~~coût~~ *coup* quand j'ai vu le ~~coup~~ *coût* du local. *(coup / coût)*

8. Ce mur ne fait pas plus d'un *mètre* de haut, je vais parler au *maître* d'œuvre pour faire *mettre* (un grillage) au-dessus. *(mettre / maître / mètre)*

9. J'aime beaucoup la douceur du mois de *mai*, *mais* en cette saison il pleut souvent. *(mai / mais)*

10. Le policier leur a mis une *amende* pour avoir jeté leurs coquilles d' *amande* par terre. *(amande / amende)*

11. Il ne savait plus à quel *saint* se vouer pour résoudre les problèmes au *sein* de l'entreprise. *(saint / sein)*

un grillage = fence

15. L'IMPORTANCE DE BIEN RELIRE

Est-il possible de comprendre ce texte ? Pouvez-vous le réécrire en ordonnant les lettres ?

Les Farnçais et l'orthgpraohre

Il y ariaut ajuourd'hui en Fcnare 15 % d'aahanplbètes, un cffirhe qui diot déreangr Bernard Pivot, le père des chtpniomnaas d'oarrohpgthe lnacés en 1895 aevc les fmeaux Dcois d'or.

Ajuuord'hui, 46 % des élèves de CM2 (cronte 26 % il y a vgnit ans) fnot puls de 15 fuates dnas une dcitée de 85 mtos. Et l'année où le nmobre d'alnhpaabètes étiat le puls bas étiat... 1921, à une épuqoe ptuorant où les eafnnts de la cmapagne praaleint eronce snvueot le patois cehz eux.

16. L'ORTHOGRAPHE ET VOUS

Choisissez l'un de ces deux sujets et rédigez un billet (entre 150 et 180 mots).

1. Pensez-vous que l'orthographe devrait avoir une place importante ? Que pensez-vous des modifications orthographiques de ces dernières années ?

2. « *Souvent pointé du doigt, le langage SMS apparaît pour certains comme le responsable du déclin de l'orthographe.* » Donnez votre opinion.

1. APRÈS L'ALBUM, LA TOURNÉE

A. Lisez cet article et précisez ce que remplacent les éléments suivants.

- avec lequel : ....
- à laquelle : ....
- celle qui : ....
- dont (x2) : ....

---

http://www.enmusiquesurlesroutes.fr/olivia-ruiz-une-nouvelle-tournée

Le calme et la tempête... Après l'album, la tournée.

L'album **avec lequel** Olivia Ruiz signe son retour sur scène est un mélange de cette fougue qui la caractérise, surtout "quand je fais la fête" comme elle l'affirme et ce calme **dont** elle dit avoir besoin en pleine période de promotion.

Car l'été s'annonce agité pour la *femme-chocolat*, pour reprendre le nom de la chanson grâce **à laquelle** elle a connu l'un de ses tous premiers succès : une tournée l'attend à travers toute la France pour le plaisir de ses fans après presque deux ans d'absence.

Que de chemin parcouru par **celle qui** est aujourd'hui l'une des principales représentantes de la chanson française actuelle ! Tout le monde se souvient encore quand, en 2001, la jeune interprète est arrivée en demi-finale du programme de téléréalité musicale, Star Academy, référence **dont** elle a pourtant très vite voulu se défaire.

Plus de dix ans ont passé et on peut dire que la jeune Olivia a largement fait ses preuves, non seulement dans la chanson - succès couronné par de nombreux prix - mais aussi au cinéma dans le film *Un jour mon père viendra* aux côtés de Gérard Jugnot et François Berléand.

Cet été, ne manquez donc pas le retour sur scène d'Olivia Ruiz. Elle vous enchantera !

☞ C. Lepage, *En musique sur les routes*, juillet 2013.

B. Choisissez un spectacle, un film ou un concert de votre choix et rédigez un billet de présentation sur le même modèle.

2. LES ANAPHORES

A. Complétez ces deux conversations à l'aide des mots proposés et dites ce qu'ils remplacent.

[annotations manuscrites : + ↗ ci / là ; → prep ; ↓ pr. relat]

1. Au musée

> les premiers / ceux / ceux-là / ceux qui / ils
> 1   2   3   4   5

● Regarde ces deux enfants à côté du puits. Comme _ils_ sont réussis !

○ Tu trouves ? Moi, je préfère _ceux_ de droite, _ceux qui_ observent les joueurs de pétanque.

● Tu as raison _ceux-là_ ne sont pas mal non plus, mais je trouve que _les premiers_ ont plus de réalisme.

○ Peut-être... En tout cas, c'est un tableau magnifique !

2. Dans un magasin de cuisines

> ils / elle / celle-là / laquelle / eux / celle-ci / leur
> 1   2   3   4   5   6   7

● Alors finalement, _laquelle_ est-ce que tu préfères ?

○ _Celle-ci_ est vraiment très fonctionnelle, mais _celle-là_ va mieux avec notre salle à manger, non ?

● C'est vrai qu' _elle_ est vraiment très belle. J'hésite. On pourrait revenir avec tes parents ; _ils_ sont toujours de bon conseil pour ces choses-là. Tu crois que ça _leur_ dirait de revenir demain pour nous aider ?

○ Pourquoi pas. Depuis qu'ils sont à la retraite, toutes les occasions sont bonnes pour sortir de chez _eux_.

B. Complétez cet encadré récapitulatif des anaphores en proposant chaque fois autant d'exemples qu'il y a de lignes. Ces derniers peuvent être inventés ou extraits de textes du *Livre de l'élève*.

Les anaphores

Les anaphores sont des procédés de substitution, utilisés aussi bien à l'écrit qu'à l'oral, qui permettent d'éviter les répétitions. Il en existe fondamentalement deux types :

1. Les anaphores grammaticales

• **Reprise d'un sujet par un pronom personnel : il, elle, ils, elles**

Pierre et Martine voulaient voir ce spectacle, mais ils s'y sont pris trop tard.

→ _La fille voudrais faire un gâteau, mais elle n'a pas des œufs_

• **Reprise du dernier mot de la phrase précédente par un pronom démonstratif : celui,** _celle_ **,** _celles_ **,** _ceux_ **.**

→ _Je voudrais acheter les chaussures, celles qui coûtent quarante euros._

Attention, ces pronoms sont toujours accompagnés :

→ **d'une particule : celui-ci/celui-là,** _celle-ci_ **,** _ceux-ci_ **,** _celles-ci_ / _celle-là_ / _ceux-là_ / _celles-là_ → _je ne peux en acheter qu'un_

Pierre et Martine voulaient absolument voir le spectacle. Hélas, celui-ci était complet.

→ _J'aime bien les deux mais je ne peux acheter un ... donc, je voudrais celui-ci_

→ **d'une préposition : celui de,** _celle de_ **,** _ceux de_ **,** _celles de_ **.**

→ _J'aime tous les gâteaux du monde, mais celui de ma mère est le meilleur._

[annotation manuscrite en bas : adverb]

Les anaphores (suite)

☆ *Celui + qui/que dont* ☆

→ d'un relatif : celui qui/que, dont, *ceux qui, celle qui, celles qui ? celui sur, lequel, lesquel etc.*

→ *Ceux qui courrent tous les jours vaut* ~~finir le marathon~~

• Reprise par un pronom possessif (complétez les tableaux ci-dessous et proposez 3 anaphores de ce type) :

Ses résultats d'examen sont meilleurs que les miens.

→ *Est-ce que ce livre est le tien ou le sien ?*

PRONOMS POSSESSIFS	
Masculin singulier	**Féminin singulier**
le mien	la mienne
le tien	la tienne
le sien	la sienne
le nôtre	la nôtre
le vôtre	la vôtre
le leur	la leur

PRONOMS POSSESSIFS	
Masculin pluriel	**Féminin pluriel**
les miens	les miennes
les tiens	les tiennes
les siens	les siennes
les nôtres	
les vôtres	
les leurs	

• Reprise par un pronom complément : le, *la* , l', *les* , *lui* , leur

direct *indirect* *introduced by à = always people replace à + person or animal*

→ *Au sujet de la lune, je la regarde toutes les nuits*

• Reprise par une formule exprimant l'ordre d'apparition dans le texte : le premier, la première, les premiers, *les premières*, le précédent, le suivant, le dernier.
Ces formules peuvent être accompagnées d'un adjectif démonstratif : ce dernier, *cette dernière*

Cette expo photos aurait dû être présentée simultanément dans deux galeries, Gros plan et la Focus Gallery, mais cette dernière est en travaux jusqu'en mars.

→ *la première J'aime toutes les chansons de l'album mais la première ~~c'est~~ est la meilleure.*

2. Les anaphores lexicales

Outre les procédés grammaticaux, les répétitions peuvent être évitées en ayant recours à des **synonymes**, à des **noms génériques** ou à un **procédé de nominalisation** lorsqu'il s'agit de reprendre un verbe ou une locution verbale de la phrase précédente. Dans ce dernier cas, ce nom est souvent précédé d'un adjectif démonstratif. Voici quelques exemples.

• Une **réduction** de 10 % sur le prix des entrées sera accordée aux familles nombreuses (couple + 3 enfants ou plus). Cette **remise** n'est pas cumulable avec les autres promotions du festival. (synonyme)

• Comme chaque année, le **festival** d'Avignon a réuni des milliers de spectateurs. **L'événement** a été suivi par la critique, unanime quant à la très grande qualité des spectacles programmés.
(*synonyme*) *vs* *générique !*

Les subventions régionales accordées à la création artistique **ont** encore **diminué** cette année. **Cette diminution** rend l'avenir de plus en plus incertain pour bon nombre d'artistes. (*procédé de nominalisation* ✓

[Handwritten margin note: Look out for reflexives]

3. LE PARTICIPE PRÉSENT / L'ADJECTIF VERBAL

Transformez les phrases en utilisant la forme simple ou composée du participe présent, comme dans l'exemple.

Avant, les acteurs qui tournaient dans de longs métrages étaient souvent réticents pour jouer dans des feuilletons télévisés.

☞ Avant, les acteurs tournant dans de longs métrages étaient souvent réticents pour jouer dans des feuilletons télévisés.

[Handwritten: Like si clause, order of clauses important. adj prés part can be found in second half of sentence]

1. Un journaliste qui écrit de la poésie se rencontre rarement.

Un journaliste, écrivant de la poésie, se rencontre rarement

2. Les artistes plasticiens qui savent s'adapter aux nouvelles technologies ont un bel avenir devant eux.

Les artistes plasticiens, sachant s'adapter aux nouvelles technologies, ont un bel avenir devant eux.

3. Les chansons qui occupent la tête des ventes sont souvent de purs produits commerciaux.

Les chansons, occupant la tête des ventes, sont souvent de purs produits commerciaux

4. Puisqu'il savait qu'elle était québécoise, il avait décidé de lui écrire en français.

Sachant qu'elle était québécoise, il avait décidé de lui écrire en français

5. Parmi les artistes qui se sont produits durant ce festival de cirque, mes préférés restent les cracheurs de feu.

Parmi les artistes s'étant produits durant ce festival de cirque, mes préférés restent les cracheurs de feu

6. Elle observait patiemment la statue de Colomb qui montrait du doigt la Méditerranée.

Elle, observant patiemment la statue de Colomb qui... Elle observait patiemment la statue de Colomb montrant du doigt la Méditerranée *[passé composé = completed]*

4. LE GÉRONDIF

Réécrivez les phrases suivantes en remplaçant les phrases au gérondif par d'autres types de phrases. Choisissez la structure qui convient le mieux à chaque cas afin de transmettre les différents sens que le gérondif peut exprimer : simultanéité, cause, manière...

| en même temps que | sans + infinitif | pour + infinitif | car |
| pendant que | que | quand | grâce à + nom |

C'est en faisant du théâtre au lycée qu'il a découvert sa passion pour la scène.

☞ C'est quand il faisait du théâtre au lycée qu'il a découvert sa passion pour la scène.

[Handwritten: en + pp = le gérondif]

1. En réalisant ce film, elle a voulu montrer une nouvelle facette de sa personnalité.

Elle a voulu montrer une nouvelle facette de sa personnalité grâce à ce film.

2. Les journalistes discutent en attendant les participants à la conférence de presse.

Les journalistes discutaient en même temps qu'ils attendaient les participants...

3. Auteur d'essais, il est devenu célèbre en écrivant un roman policier.

Il est devenu auteur d'essais grâce à l'écriture de son roman policier

4. Les biographes parlent de mort naturelle, n'excluant toutefois pas le suicide.

Les biographes parlent de mort naturelle, sans exclure le suicide.

5. Elle a payé ses dettes en vendant sa collection de tableaux impressionnistes.

Elle a vendu sa collection de tableaux impressionnistes pour payer ses dettes

5. LA CONSOMMATION ALTERNATIVE

🔘 Piste 6

A. Écoutez cette chronique radio et dites si les affirmations suivantes sont vraies, fausses ou si on ne peut pas le déterminer. Justifiez vos réponses avec vos propres mots ou en citant un élément de l'enregistrement.

		Vrai	Faux	NSP	Justification
1.	L'observatoire CETELEM de la consommation met en évidence les répercussions de la crise sur la consommation.				
2.	La crise a des effets néfastes sur la consommation alternative.				
3.	La consommation alternative est apparue il y a 2 ans dans les grandes villes.				
4.	C'est une forme de consommation basée sur l'échange et le partage.				
5.	Une minorité de Français est intéressée par les produits d'occasion.				
6.	La revente de produits inutilisés est devenue chose courante.				
7.	Le boycott fait partie du mode de pensée des consommateurs alternatifs.				
8.	Cette nouvelle consommation a trouvé sa place parmi les modèles traditionnels.				

B. Que pensez-vous de cette nouvelle forme de consommation ? Existe-t-elle dans votre pays ? Réagissez dans un article d'opinion.

6. RETROSPECTIVE HERGÉ

Piste 7

A. Écoutez les impressions des premiers visiteurs de l'exposition rétrospective sur l'œuvre et la vie d'Hergé et prenez des notes.

....

....

....

B. À partir de cette biographie et de vos notes, rédigez un article sur cette exposition d'Hergé (180 mots).

Biographie de Georges Rémi, dit Hergé (22 mai 1907 - 3 mars 1983)

22 mai 1907	Né à Etterbeek (Belgique).	3 septembre 1944	La Belgique est libérée. Hergé ne publie plus dans *Le Soir*. Il est accusé de collaboration pour avoir publié dans le seul journal autorisé par les occupants allemands.
1921	Publication de ses premiers dessins dans des revues de scouts.		
1924	Il signe déjà ses dessins Hergé, homophone de ses initiales R.G.		
1925	Entrée au journal *Le Vingtième Siècle*, au service des abonnements.	26 septembre 1946	Publication du premier numéro du magazine *Tintin*, un nouvel hebdomadaire créé pour la jeunesse.
1928	Rédacteur en chef du *Petit Vingtième*, supplément hebdomadaire pour la jeunesse du *Vingtième Siècle*.	1950	Il fonde les studios Hergé où il fait appel à des collaborateurs pour *On a marché sur la lune*.
10 janvier 1929	Création de Tintin et Milou qui deviendront célèbres dans le monde entier.	1958	Publication de *Tintin au Tibet*.
1929	Publication du premier album des aventures de Tintin : *Tintin au pays des Soviets*.	1960	Adaptation cinématographique de *Tintin et la Toison d'or*.
1934	Rencontre avec un jeune étudiant chinois, Tchang Tchong-Jen qui marque un tournant dans sa carrière. Il prend conscience de la nécessité de se documenter pour écrire un bon scénario. Ce qu'il prenait au départ pour un jeu devient un travail sérieux.	1964	Sortie du film *Tintin et les oranges bleues*. Hergé se passionne pour l'art moderne.
		1969	Production d'un dessin animé de long métrage à partir de l'album *Le Temple du soleil*.
1935	Il prend position en faveur du peuple chinois avec *Le Lotus bleu*. Tchang Tchong-jen lui inspire le personnage.	1973	Il visite Taiwan, trente-cinq ans après l'invitation officielle qu'il avait dû décliner juste avant la guerre.
10 mai 1940	La Belgique est envahie par les troupes allemandes. Disparition de *Le Vingtième Siècle* et du *Petit Vingtième*. *Tintin au pays de l'or noir*, l'épisode en cours, s'interrompt pour huit ans. Hergé en entreprend un autre, *Le Crabe aux pinces d'or*, qu'il publie dans *Le Soir*, un des seuls journaux que l'occupant autorise à paraître.	1979	Andy Warhol, chef de file du Pop Art, fait une série de quatre portraits d'Hergé. Les 50 ans de Tintin sont commémorés un peu partout dans le monde autour d'expositions rétrospectives. Un timbre à son effigie est même édité.
		3 mars 1983	Décès à la suite d'une longue maladie.

C. Relisez votre article et évaluez-le selon les critères énoncés ci-dessous.
Au besoin, corrigez-le.

Autoévaluer un texte	Oui	Non
Mon article respecte-t-il la consigne qui m'a été donnée ?		
Mon texte est-il compréhensible ?		
Le ton adopté est-il bien choisi ?		
Suis-je suffisamment convaincant ?		
Mon texte correspond-il à la structure d'un article ?		
Les connecteurs utilisés sont-ils « logiques » ?		
Ai-je suffisamment reformulé les informations des documents de départ ?		
Y a-t-il des répétitions ? Puis-je les éliminer par des procédés anaphoriques ?		
Suis-je bien sûr de l'orthographe de tous les mots utilisés ?		
Quels temps ai-je utilisés ? Leur emploi est-il justifié ?		

7. LES PRONOMS DÉMONSTRATIFS

A. Complétez les phrases suivantes avec un pronom démonstratif.

Son explication est plus claire que ... que l'on m'avait donnée au dernier cours.
☞ Son explication est plus claire que _celle_ que l'on m'avait donnée au dernier cours.

1. Mes amis n'aiment pas trop les pièces de Molière et préfèrent ~~celle~~ de Shakespeare.

2. Dans cette affaire, son opinion n'est pas ..... _celle_ ✓ de tout le monde.

3. Ce bistrot propose 2 types de menus. Choisis ..... _celui_ ✓ qui te plaît.

4. J'ai fait 2 voyages en France durant ces 5 dernières années, mais je préfère ..... _celui_ ✓ où j'ai pu déguster de succulentes crêpes sur le port de Vannes.

5. Est-ce que vous connaissez l'expression : « l'avenir appartient à ..... ~~celui~~ _ceux_ ✓ qui se lèvent tôt » ?

6. Ce guide propose de bons plans à ..... _ceux_ ..... qui veulent manger pour moins de 20 euros. ✓

7. Les adresses citées sur ce site sont ..... _celles_ ..... des meilleurs restaurants de la capitale. ✓

8. Il m'a dit qu'il ne connaissait pas ..... _celles_ qui étaient venues le voir dans son bureau. ✓

9. Mon hebdomadaire sort une enquête cette semaine sur ..... ~~celui~~ _ceux_ qui en ont marre de l'immobilisme de la classe politique.
to be sick of doing something

10. Si tu as envie d'aller voir un bon film cette semaine, je te recommande d'aller voir ..... _celui_ ..... dont tout le monde parle beaucoup en ce moment.

B. Choisissez une personnalité connue du monde des arts et construisez une devinette selon les modèles de structure suivants.

C'est un homme / une femme qui...

La personne recherchée, c'est celui / celle qui...

Celui / Celle qui ... est la personne que vous devez trouver !

8. LE LEXIQUE DE LA BLOGOSPHÈRE

Formez des mots à l'aide des étiquettes suivantes puis placez-les en face de la définition qui convient.

Blog...		...ueur
Comment...		...cement
Bill...		...et
Blog...		...seur
Info...		...bulle
Référen...		...aire
Ascen...		...ière
Bann...		...osphère

Mots	Définitions
	1. Auteur d'un blog.
	2. Ensemble de tous les blogs existants.
	3. Réaction laissée par un visiteur.
	4. Texte généralement court édité par l'auteur.
	5. Barre de défilement pour monter ou descendre dans la page.
	6. Image que l'on met en haut de son blog.
	7. Texte qui s'affiche en passant la souris sur une image.
	8. Ensemble des techniques permettant d'être présent dans les moteurs de recherche.

9. ADJECTIF OU ADJECTIF VERBAL ?

A. Écoutez ces mots et indiquez si ce sont des adjectifs (-ent) ou des adjectifs verbaux (-ant).

	1.	2.	3.	4.	5.	6.	7.	8.	9.	10.	11.	12.	13.	14.
Adjectif en « -ent »														
Adjectif verbal en « -ant »														

B. Écoutez à nouveau ces mots et écrivez-les dans le tableau.

	Adjectif en « -ent »	Adjectif verbal en « -ant »
1.		
2.		
3.		
4.		
5.		
6.		
7.		
8.		
9.		
10.		
11.		
12.		
13.		
14.		

Stimulant

Fondant

Naviguant

10. PARTICIPE PRÉSENT OU ADJECTIF VERBAL

A. Complétez les phrases suivantes en choisissant entre le participe présent et l'adjectif verbal.

1. Les propos .... sont interdits dans cette réunion. *(provocants / provoquant)* ✓

2. Toutes les usines .... cette voiture se trouvent à l'étranger. *(fabricantes / fabriquant)* ✓

3. Je suis désolé mais vos arguments sont peu .... *(convaincants / convainquant)* ✓

4. Nous sommes arrivés mais la route a été vraiment .... *(fatigante / fatiguant)* ✓

5. Le paquebot .... trop près des côtes a eu un accident. *(navigant / naviguant)* ✓

6. L'équipe de ma fille a gagné le championnat, ... les félicitations de son président. *(méritant / méritante)* ✓

7. On dit souvent que le scrabble est une activité .... pour l'esprit. *(stimulant / stimulante)* ✓

8. Cette série télévisée *influant* .... fortement les enfants a été interdite de diffusion. *(influant / influente)*

9. J'ai eu beaucoup de travail. Je suis rentrée à la nuit .... *(tombant / tombante)* ✓

10. Ma fille est très gourmande. Elle aime les bonbons .... dans la bouche. *(fondant / fondants)* ✓

B. À votre tour, écrivez une phrase avec chacune de ces formes.

11. UNE CRITIQUE DE RESTAURANT

Vous voulez écrire une critique sur votre restaurant préféré. Lisez ces conseils et écrivez votre critique. (120 mots)

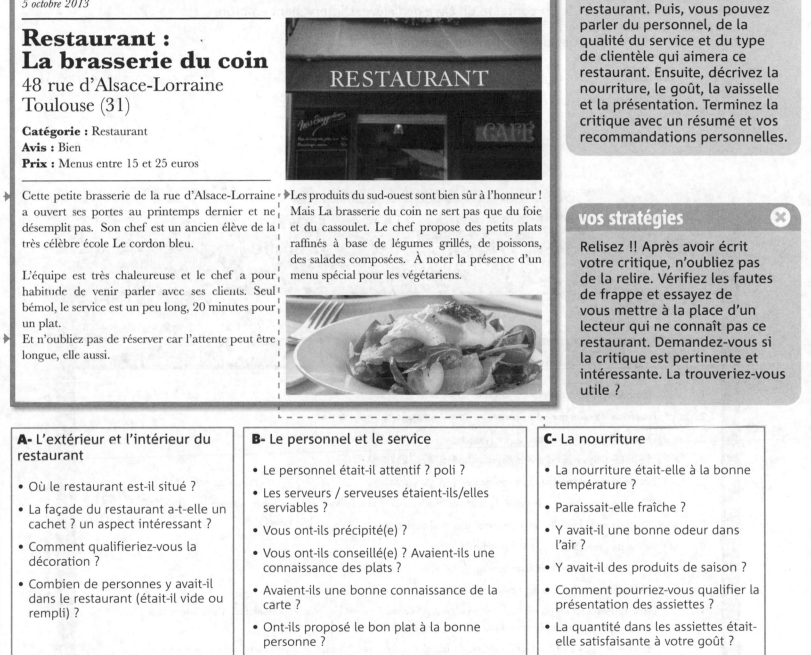

http://leblogdegilleslatoque.fr

Le blog de Gilles Latoque. Des grands plats près de chez vous !
5 octobre 2013

Restaurant : La brasserie du coin

48 rue d'Alsace-Lorraine
Toulouse (31)

Catégorie : Restaurant
Avis : Bien
Prix : Menus entre 15 et 25 euros

Cette petite brasserie de la rue d'Alsace-Lorraine a ouvert ses portes au printemps dernier et ne désemplit pas. Son chef est un ancien élève de la très célèbre école Le cordon bleu.

L'équipe est très chaleureuse et le chef a pour habitude de venir parler avec ses clients. Seul bémol, le service est un peu long, 20 minutes pour un plat.
Et n'oubliez pas de réserver car l'attente peut être longue, elle aussi.

Les produits du sud-ouest sont bien sûr à l'honneur ! Mais La brasserie du coin ne sert pas que du foie et du cassoulet. Le chef propose des petits plats raffinés à base de légumes grillés, de poissons, des salades composées. À noter la présence d'un menu spécial pour les végétariens.

vos stratégies

Une bonne critique doit commencer par décrire l'extérieur et l'intérieur du restaurant. Puis, vous pouvez parler du personnel, de la qualité du service et du type de clientèle qui aimera ce restaurant. Ensuite, décrivez la nourriture, le goût, la vaisselle et la présentation. Terminez la critique avec un résumé et vos recommandations personnelles.

vos stratégies

Relisez !! Après avoir écrit votre critique, n'oubliez pas de la relire. Vérifiez les fautes de frappe et essayez de vous mettre à la place d'un lecteur qui ne connaît pas ce restaurant. Demandez-vous si la critique est pertinente et intéressante. La trouveriez-vous utile ?

A- L'extérieur et l'intérieur du restaurant

- Où le restaurant est-il situé ?
- La façade du restaurant a-t-elle un cachet ? un aspect intéressant ?
- Comment qualifieriez-vous la décoration ?
- Combien de personnes y avait-il dans le restaurant (était-il vide ou rempli) ?

B- Le personnel et le service

- Le personnel était-il attentif ? poli ?
- Les serveurs / serveuses étaient-ils/elles serviables ?
- Vous ont-ils précipité(e) ?
- Vous ont-ils conseillé(e) ? Avaient-ils une connaissance des plats ?
- Avaient-ils une bonne connaissance de la carte ?
- Ont-ils proposé le bon plat à la bonne personne ?
- Pour quelle clientèle conseilleriez-vous ce restaurant ?

C- La nourriture

- La nourriture était-elle à la bonne température ?
- Paraissait-elle fraîche ?
- Y avait-il une bonne odeur dans l'air ?
- Y avait-il des produits de saison ?
- Comment pourriez-vous qualifier la présentation des assiettes ?
- La quantité dans les assiettes était-elle satisfaisante à votre goût ?

D- Votre opinion

- Qu'avez-vous le plus apprécié ?
- Quels ont été les principaux mécontentements ou problèmes ?

3 J'EXPOSE DONC JE SUIS

1. DÉFINITIONS

Piste 9

A. Écoutez la conférence de En contexte du *Livre de l'élève*. L'intervenant emploie un vocabulaire précis et varié de façon à mieux convaincre son public. Repérez ces mots et associez-les à leur définition.

alerter 10	mensonge 1	promesse 8	consommateur/trice 16
beauté 3	obsession 9	séquelle 14	danger 7
bien-être 6	perfection 5	tromper 15	donnée 10
bond 4	pilule 13	vieillissement 12	exigence 2

Le dictionnaire multifonctions — TV5MONDE

http://dictionnaire.tv5.org

Saisissez un terme **OK** — lexique

définitions | synonymes | conjugaisons | style

1. n. m. Discours, propos contraires à la vérité. *Le mensonge*
2. n. f. Prétention de celui qui est exigeant. // Ce qui est exigé. *l'exigence*
3. n. f. Qualité de ce qui est beau. *La beauté*
4. n. m. Saut. Rejaillissement d'une balle, d'un ballon, etc. *Le bond*
5. n. f. État de ce qui est parfait dans son genre. *La perfection*
6. n. m. Situation agréable et commode du corps ou de l'esprit. // État de fortune convenable, aisance. *Le bien-être*
7. n. m. Situation dans laquelle on est menacé d'un mal quelconque. // Risque. *Le danger*
8. n. f. Action de promettre. // Chose promise. *La promesse*
9. n. f. Action d'obséder. // Idée fixe, hantise. *L'obsession*
10. v. t. Avertir d'un péril. // Éveiller l'attention. *alerter*
11. n. f. Élément donné servant à résoudre un problème. // Renseignement. // infor. Représentation d'une information sous une forme conventionnelle destinée à faciliter son traitement. *La donnée*
12. n. m. État de ce qui vieillit. // Fait de vieillir. // Transformation avec l'avance en âge de tout organisme vivant. *le vieillissement*
13. n. f. Médicament ayant la forme d'une petite boule et qu'on avale. *La pilule*
14. n. f. Lésion ou manifestation fonctionnelle persistant à la suite d'une maladie, contrecoup. *la séquelle*
15. v. t. Induire en erreur. *tromper*
16. n. et adj. Qui consomme. *consommateur/trice*

B. Complétez le tableau suivant.

Nom	Verbe	Adjectif
la perfection	parfaire/perfectionner	parfait (e)
le bond	bondir	bondissant ~~bondissant?~~
la beauté	embellir	beau /belle
le danger	être / mettre en danger	dangereux /euse
l'obsession	obséder	obsédé /obsédant (e)
le vieillissement	vieillir	vieillissant (e) /vieux /vieille
le consommateur	consommer	consommateur /trice
(f) l'alerte	alerter	alertant / alerté
l'exigence	exiger	exigeant (e)
la promesse	promettre	prometteur /euse
la tromperie	tromper	trompeur

C. Cherchez dans le dictionnaire ou bien sur Internet et notez des expressions contenant ces mots.

- danger : un grand danger, danger de mort, être en danger, être hors de danger...
- mensonge : détecteur de mensonge, un tissu de mensonge, pieux mensonge, mensonge par omission, se prendre à ses...
- alerte : alerte rouge, alerte mail, en alerte, fausse alerte, donner l'alerte, alerte à la bombe
- tromper : tromper l'attente, se tromper de chemin, se tromper royalement, tromper la mort, tromper son monde
- bond : bond en avant, d'un seul bond, faire un bond, saisir au bond
- consommer : à consommer rapidement, à consommer de préférence avant le, à consommer avec modération

Corruption

Franchir un obstacle d'un bond,
Faire faux bond

vos stratégies ⊗

Apprendre un mot signifie beaucoup plus que connaître sa signification ou sa traduction dans votre langue. Il faut aussi savoir dans quels contextes l'employer et avec quels autres mots on le rencontre fréquemment.

2. ON EST MIEUX CHEZ SOI !

Voici le récit de Nadine qui a loué une maison pour les vacances avec son mari et ses enfants. Cela ne s'est pas bien passé. Complétez ces phrases avec l'expression de cause qui convient le mieux.

1. D'abord, la police nous a arrêtés juste à l'entrée du village .... excès de vitesse. Les vacances commençaient bien !
à cause de l' / pour cause d'

2. « Vous reconnaîtrez la maison facilement .... c'est la seule de couleur pistache », m'avait assuré l'agence de location.
car / parce que / d'autant que / puisque

3. Mais la maison ne se voyait pas de la route .... arbres, verts eux aussi !
à cause des

4. Finalement, nous avons trouvé la maison .... indications d'un petit pépé qui était du coin.
grâce aux

5. Le lendemain de notre arrivée, il a commencé à pleuvoir. Nous avons eu de la pluie, de la pluie et encore de la pluie ! Au bout de trois jours, Xavier et les enfants m'ont déclaré : « .... il pleut sans cesse, demain, on fait les bagages et on rentre à la maison ! »

Puisque / comme

3. NON À L'AÉROPORT !

A. Lisez cet article et complétez le tableau avec les arguments des 2 camps sur le projet de construction de l'aéroport Notre-Dame-des-Landes puis répondez aux questions.

SOCIÉTÉ

LE RETOUR DES OPPOSANTS À NOTRE-DAME-DES-LANDES

[...]

Les opposants au projet d'aéroport de Notre-Dame-des-Landes se mobilisent à nouveau ce week-end et prévoient deux jours de rassemblement près de cette commune de Loire-Atlantique, à une vingtaine de kilomètres de Nantes.

[...] Malgré la présence dans le gouvernement de deux membres issus de ses rangs, Europe Écologie-Les Verts (EELV) soutient les manifestations de samedi et dimanche, qui devraient se dérouler dans un esprit festif avec notamment des concerts et un lâcher de cerfs-volants. "Le grand rassemblement des 3 et 4 août est incontournable pour tous celles et ceux qui œuvrent en faveur d'une véritable transition écologique et énergétique et la préservation de la biodiversité", écrit EELV dans un communiqué.

Le site retenu pour le projet, qui rassemble 1 600 hectares de bocage, a été rebaptisé "ZAD" comme zone à défendre par ses opposants qui dénoncent un gaspillage de terres et d'argent. Soutenu par les majorités des différentes collectivités de Bretagne et des Pays de la Loire, le projet d'aéroport est également défendu depuis son origine par Jean-Marc Ayrault, ancien maire de Nantes et actuel Premier ministre. Selon ses partisans, il permettrait de développer le trafic aérien et les échanges dans la région tout en éliminant le survol actuel de la métropole nantaise par des avions.

Ses opposants dénoncent de leur côté la destruction d'une zone bocagère préservée, qui comporte d'importantes zones humides, et jugent ce projet économiquement inutile. [...]

Les opposants au projet estiment que la facture totale pourrait s'élever à trois milliards d'euros en tenant compte des infrastructures ferroviaires, appelées à compléter le futur équipement aéroportuaire. La société Vinci, principal opérateur retenu pour ce projet, et la chambre de commerce de Loire-Atlantique chiffrent quant à elles le projet à 508 millions d'euros.

Source : Le Point.fr, © Reuters, 3 août 2013.

En faveur de l'aéroport	Contre l'aéroport
• Ancien maire de Nantes et actuel Premier ministre dit qu'il permettrait de développer le trafic aérien et les échanges...	• EELV → c'est une zone à défendre y le changement gaspillerait de terres et d'argent.
• Le projet coûterait que 508 millions d'euros et pas trois milliards.	• Construire un aéroport serait une destruction d'une zone bocagère...
	• ce n'est pas utile économiquement, le projet / le changement coûterait jusqu'à trois milliards d'euros ou même 508 millions d'euros.

1. Le texte parle de « ZAD », acronyme créé sur le modèle de BAC, ZEP, etc.

Savez-vous ce que signifie ces autres acronymes ?

- ZUP : Zone à urbaniser en Priorité (f)   - ZEP : Zones d'éducation Prioritaires (f)
- ZIP : Zone Industrialo-portuaire (f)   - ZAC : Zone d'aménagement converti (f)

2. Relevez, dans le texte, 5 mots qui vous posent un problème de compréhension.

Cherchez leur définition puis employez-les dans une phrase.

• L'EELV croit que la construction de l'aéroport causerait la destruction d'une zone bocagère préservée tandis que ceux qui sont en faveur disent que l'aéroport éliminerait le survol actuel de la métropole nantaise par des avions

B. Avec les arguments relevés dans la tableau, construisez 3 phrases en utilisant l'expression de l'opposition en vous aidant des expressions de la page Formes et ressources du *Livre de l'élève*.

• Les opposants à la construction de l'aéroport croient qu'elle coûterait à peu près trois milliards d'euros pendant que la société Vinci a une estimation de 508 millions d'euros

• Ceux qui sont en faveur de l'aéroport disent qu'il permettrait de développer le trafic aérien et les échanges dans la région alors que ceux qui sont contre l'aéroport soutiennent qu'il serait un gaspillage de terres et d'argent

C. Reformulez les phrases suivantes en utilisant l'expression de cause entre parenthèses.

• Le site retenu pour le projet, qui rassemble 1 600 hectares de bocage, a été rebaptisé "ZAD" comme zone à défendre par ses opposants qui dénoncent un gaspillage de terres et d'argent.

☞ (Étant donné...) Le site retenu pour le projet a été rebaptisé "ZAD" comme zone à défendre (par ses opposants) étant donné le gaspillage de terres qui rassemblent 1600 hectares de bocage et d'argent

• Les opposants au projet estiment que la facture totale pourrait s'élever à trois milliards d'euros en tenant compte des infrastructures ferroviaires, appelées à compléter le futur équipement aéroportuaire.

☞ (En raison de...) En raison des coûts des

D. Connaissez-vous la situation actuelle du projet d'aéroport du Grand Ouest également appelé projet « aéroport de Notre-Dame-des-Landes » ? Faites des recherches sur Internet et écrivez un petit texte.

5 feb 2016 le Parisien "Le groupe Vinci est certain qu'il ne va pas renoncer le projet de construire l'aéroport, même si la ministre de l'Écologie a demandé un rapport sur des projets "alternatifs ou complémentaires".

Les manifestations continuent. En janvier de cette année, il y a eu une manifestation de 20 000 personnes contre l'aéroport et à cause du fait que beaucoup des familles des fermiers ont reçu un avertissement de l'expulsion parce que Vinci, l'organisation, veut avoir la terre pour commencer la construction. La situation n'a toujours pas être résolu(e).

4. CONSÉQUENCES POSITIVES OU NÉGATIVES

Complétez ces phrases avec la forme qui convient : **à cause de** ou **grâce à**.

1. Nous avons mis trois heures pour faire 40 kilomètres à cause des embouteillages.

2. Grâce aux énergies renouvelables et propres, comme l'énergie solaire ou l'éolienne, nous pourrons bientôt nous passer de l'énergie nucléaire.

3. Aucun avion n'a décollé à cause du mauvais temps.

4. Nous sommes restés une journée sans chauffage et sans lumière à cause de la coupure d'électricité.

5. Yvon a obtenu un emploi chez NBT grâce à l'appui de M. Porche.

6. Le climat se réchauffe, les calottes polaires fondent, le niveau de la mer augmente et tout cela .... émissions de CO_2 que nous rejetons dans l'atmosphère !

7. Des millions d'enfants dans le tiers-monde meurent chaque année .... la tuberculose, de la lèpre ou de la malaria. Pourtant, il existe des médicaments efficaces contre toutes ces maladies !

8. Désormais, je mets moins de temps pour aller au boulot .... à la nouvelle ligne de métro.

5. OR

A. Associez les éléments suivants pour faire des phrases.

b **1.** Je suis en vacances vendredi...

a **2.** Ça fait 15 ans qu'il vit à Londres...

d **3.** Les Brésiliens étaient considérés comme les grands favoris...

c **4.** Les enfants sont toujours très turbulents à cet âge-là...

or

a. il déteste la grisaille.

b. avec Pauline, on n'a pas encore décidé où aller.

c. celui-là est sage comme une image. → *behaves well*

d. ils ont été éliminés en quart de finale.

B. Imaginez des conclusions aux phrases suivantes que vous introduirez par différents connecteurs de conséquence.

Il y a beaucoup de moustiques au bord de la rivière.
Or je suis allergique aux piqûres de moustique.

☞ *Par conséquent, je préfère pique-niquer ailleurs.*

1. Tous les hommes sont mortels. **Or** les Grecs sont des hommes... *ont disparu*
Donc ~~Aussi~~, il est ~~inévitable~~ qu'ils sont mortels aussi.
INDUBITABLE

2. On a besoin d'une voiture pour les vacances, **or** la mienne est en panne... *on va prendre l'avion*
V. C'est pourquoi ~~je vais~~ louer je vais voler au lieu.
cette année,

3. Martin nous avait invités à L'Éléphant blanc, un restaurant spécialisé en viandes, **or** Clémentine est végétarienne...
V C'est pour ~~Donc~~qu'il nous avons changé notre réservation
ça

4. L'oxygène et l'eau sont indispensables à la vie, **or** on a découvert sur la Lune des minéraux qui permettraient d'en fabriquer...
Par conséquent, nous allons en transporter beaucoup à l'avenir proche

5. Mentir est très mal vu pour un homme politique. **Or** le ministre de l'Éducation a menti à tout le monde...
V C'est pourquoi il va être remplacé l'année prochaine

C. Réécrivez les phrases précédentes en remplaçant **or** et le connecteur de conséquence que vous avez utilisés par d'autres connecteurs ou par des signes de ponctuation.

Il y a beaucoup de moustiques au bord de la rivière et, comme je suis allergique aux piqûres de moustiques, je préfère pique-niquer ailleurs.

....

....

....

....

Composé Infinitif Avoir beau être qq ch

6. J'AI BEAU CHERCHER, JE NE TROUVE PAS !

A. Lisez les phrases suivantes. À votre avis, que signifie l'expression **avoir beau** dans ces trois phrases ?

1. J'**ai beau** avoir dormi 9 heures, je me sens encore fatigué.

- ☑ Je suis fatigué bien que j'aie dormi 9 heures.
- ☐ Comme je n'ai dormi que 9 heures, je me sens encore fatigué.
- ☐ J'ai dormi 9 heures, c'est pourquoi je me sens encore fatigué.

2. Tu **as beau** me dire que ce n'est pas dangereux, je ne traverserai pas la rivière sur un tronc d'arbre.

- ☐ Tu dis que ce n'est pas dangereux et je te crois ! Alors, je traverserai la rivière.
- ☐ Je traverserai la rivière sur un tronc d'arbre car tu dis que ce n'est pas dangeureux.
- ☑ Même si tu dis que ce n'est pas dangereux, je ne traverserai pas la rivière sur ce tronc d'arbre.

3. La météo **a beau** annoncer du mauvais temps pour demain, nous ferons quand même la randonnée prévue.

- ☐ La météo annonce du mauvais temps donc nous ferons la randonnée prévue.
- ☐ Comme la météo annonce du mauvais temps pour demain, nous avons annulé la randonnée prévue.
- ☑ Malgré les prévisions météorologiques, nous ferons la randonnée prévue.

B. Remplacez les marqueurs de restriction en caractères gras par l'expression **avoir beau** + infinitif.

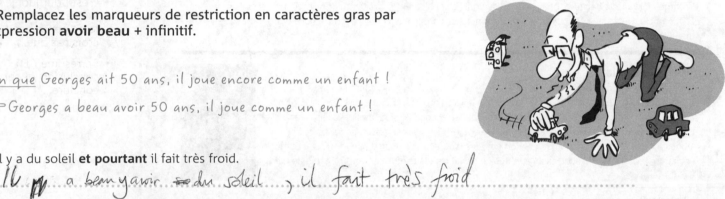

Bien que Georges ait 50 ans, il joue encore comme un enfant !

☞ Georges a beau avoir 50 ans, il joue comme un enfant !

1. Il y a du soleil **et pourtant** il fait très froid.

Il n'y a beau y avoir du soleil, il fait très froid

2. **Bien que** vous soyez très perspicace, vous ne devinerez jamais la fin de l'histoire.

Vous avez beau être très perspicace, vous ne devinerez jamais la fin de l'histoire

3. J'adore le fromage **et pourtant** je n'en mange pratiquement jamais.

J'ai beau adorer le fromage, je n'en mange pratiquement jamais. ✓

4. **Quoique** la maison soit grande, on ne peut pas inviter autant de monde.

La maison a beau être grande, on ne peut pas inviter autant de monde ✓

5. **Malgré** toutes mes explications, il n'a toujours rien compris.

J'ai beau expliquer, il n'a toujours rien compris   ⭐ ORDER ⓐ ⭐

Je lui ai beau expliquer → J'ai beau lui avoir donné

6. Jeanne a travaillé toute la journée **bien qu'**elle ait la grippe.

Jeanne a beau avoir la grippe, elle a travaillé toute la journée. ✓

7. Charles est quelqu'un de très hypocrite ; **même s'**il est très aimable avec moi, je me méfie de lui.

→ Charles a beau être ~~très au~~ quelqu'un de très hypocrite ; il est très aimable avec moi, je me méfie de lui.

→ Charles est quelqu'un de très hypocrite ; il a beau ~~être~~ très aimable avec moi, je me méfie de lui. ✓

~~beau~~ avoir always after concession : bien que / même si etc

7. MODES DE VIE ET COMPORTEMENTS

A. Lisez ces trois extraits d'articles parus dans l'édition en ligne d'un quotidien en langue française.

http://XXI-siecle.fr

XXIᵉ siècle.fr

Amours canines

Maryline et Jacques partagent tout avec leur yorkshire de quatre ans : il dort entre eux deux, monte sur la table au moment des repas et réclame sa part quand un plat lui plaît. Maryline et Jacques avouent adorer leur petit chien comme s'il s'agissait d'un enfant. « C'est parce que nous n'avons pas eu d'enfants », explique Maryline. « Nous avons fait des démarches pour en adopter, mais on m'a dit que j'étais trop vieux », ajoute Jacques avec une expression amère. « Aussi nous aimons Pépite, notre petit chien, comme s'il s'agissait de notre enfant. »

« Votre avis »
Comme Maryline et Jacques, beaucoup de personnes considèrent et traitent leur animal domestique comme un être humain. Quel est votre point de vue sur la place accordée aux animaux domestiques dans notre société et la manière de les traiter ?

Autisme social

Jonathan, 17 ans, adore les jeux vidéo et surfer sur Internet. Il consacre tout son temps libre à cette passion et préfère une soirée devant son écran d'ordinateur à une sortie entre copains. Ses « rencontres » se limitent en général à un chat sur Facebook. Certains psychiatres et psychologues mettent en garde les parents contre les risques d'isolement social de ces jeunes « accros » au monde virtuel. Selon eux, ces enfants développent une forme d'autisme social qui fera d'eux des adultes incapables de résoudre les conflits et les difficultés de la vie quotidienne.

« Votre avis »
Croyez-vous qu'Internet, les jeux vidéo, les mondes virtuels... représentent un danger pour la santé mentale et la sociabilité des personnes, notamment des jeunes, ou pensez-vous qu'il s'agit là d'une nouvelle et riche manière de communiquer ?

Des amendes selon vos revenus

Une enquête du magazine *L'Automobile* suggère l'existence d'une relation entre la fréquence des infractions au code de la route et les revenus des automobilistes. Il semblerait que les conducteurs à hauts revenus hésitent moins à enfreindre le code de la route : ils se garent plus souvent sur les zones de stationnement interdit ; dépassent régulièrement la limitation de vitesse, empruntent facilement les couloirs d'autobus... Une manière de ramener ces conducteurs réfractaires dans le droit chemin serait d'établir des contraventions en fonction des revenus de la personne qui a commis l'infraction. Ainsi, un excès de vitesse pourrait être sanctionné par 90, 180 ou 300 euros d'amende et coûter 4 ou 8 points ou encore le retrait du permis de conduire, selon le salaire du conducteur.

« Votre avis »
Pensez-vous qu'il serait juste et efficace de mettre en place un système de contraventions qui tienne compte des revenus du conducteur ?

B. Choisissez deux de ces extraits et rédigez votre réponse à la question de « votre avis » Exposez votre point de vue de manière argumentée.

8. L'OPPOSITION

Complétez les phrases en conjuguant le verbe à la forme correcte.

1. Bien que je *(avoir)* beaucoup de travail, je vais rester dîner avec vous.

....

2. À la plage, mes enfants se baignaient pendant que je *(bronzer)* au soleil.

....

3. Bien qu'il *(vivre)* depuis 10 ans en Corée, Pierre ne sait pas bien parler le coréen.

....

4. Mon fils n'a pas encore commencé à réviser alors que le bac *(être)* dans 2 semaines.

....

5. Sa mère est brune alors que sa fille *(avoir)* de beaux cheveux blonds.

....

6. Alors qu'on *(arriver)* au dessert, Pierre n'avait toujours pas fini son entrée.

....

7. Cyril a quitté la capitale en voiture tandis que nous *(prendre)* le train.

....

8. Bien qu'elle *(être)* timide, elle saura se faire de nouveaux amis.

....

9. LE LEXIQUE DE L'ACTUALITÉ

Associez les mots aux définitions suivantes et retrouvez-les dans la grille.

> précarité   guerre ✓   famine ✓   abolition ✓
> réchauffement ✓   obésité ✓   ségrégation ✓   pauvreté ✓
> ONG   exclusion ✓   transparence ✓   OMG

1. C'est un phénomène d'augmentation de la température moyenne des océans et de l'atmosphère qui se traduit par une montée de la chaleur sur la surface terrestre. On parle alors de *réchauffement* climatique.

2. C'est une pratique sociale conduite par la sincérité et une accessibilité totale à l'ensemble des informations touchant le domaine public. On parle alors de *transparence* politique ou économique.

3. C'est un excès de masse grasse entraînant des inconvénients pour la santé. On parle alors d' *obésité*.

4. C'est une mise à l'écart d'une personne ou d'un groupe, consécutive à une perte d'emploi, au surendettement ou à la perte d'un logement. On parle alors d' *exclusion* sociale.

5. C'est une lutte armée entre plusieurs pays ou peuples. On parle alors de *guerre*.

6. C'est l'interdiction juridique d'une pratique établie. On parle par exemple d' *abolition* de la peine de mort.

7. C'est la séparation physique des personnes basée sur des critères comme l'origine ethnique, la couleur de la peau, l'âge, le sexe, la religion, etc. On parle alors de *ségrégation*.

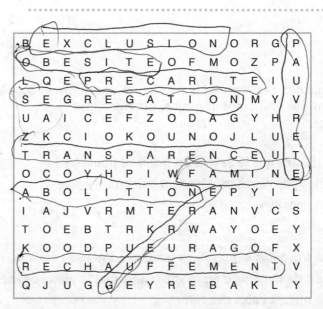

8. C'est une situation professionnelle qui n'offre aucune garantie de durée et qui est incertaine. On parle alors de *précarité*.

9. C'est une situation qui décrit l'état d'une personne ne disposant pas de ressources matérielles suffisantes pour vivre dans des conditions dignes. On parle alors de *pauvreté*.

10. C'est une situation dans laquelle la population d'une zone géographique donnée manque de nourriture. On parle alors de *famine*.

11. C'est un sigle qui désigne une agence de l'ONU consacrée à l'amélioration et à la promotion de la condition des enfants. On parle alors de l' *O.N.G. (UNICEF)*.

12. C'est un sigle qui définit un organisme vivant dont le patrimoine génétique a été modifié par l'homme. On parle alors d' *OMG* / OGM

10. –TION, –SSION, –SION, –CION OU –XION ?

Piste 10 **A.** Écoutez les mots et placez-les dans la bonne colonne selon leur orthographe.

	-tion	-ssion	-sion	-cion ou -xion
1.				
2.				
3.				
4.				
5.				
6.				
7.				
8.				
9.				
10.				

B. Regardez ces 8 titres de presse. Ils contiennent tous des mots en « -ion » qui ont été mal orthographiés. Corrigez-les.

Mike Horn : « On va changer la terre et donner l'<u>impulssion</u> ! » : L'aventurier espère mobiliser les jeunes pour l'écologie...

Il y a 150 ans que la Savoie est devenue française ! Des fêtes populaires se déroulent à Chambéry pour fêter l'<u>annection</u>.

La trêve des <u>expulssions</u> locatives s'achève dans la nuit de dimanche en même temps que le plan hivernal de mise à l'abri des SDF.

Grève SNCF : <u>répercuxions</u> en Suisse. Les trains ne circuleront pas entre mardi soir 22h et mercredi soir à la même heure.

Afrique du Sud : Guerre de <u>succesion</u> au sein du clan Mandela. Mandla et Makaziwe Mandela se déchirent publiquement.

L'ancienne première secrétaire du Parti socialiste a déclaré ce mercredi poursuivre sa « <u>réflection</u> nationale » au cours d'une semaine chargée.

Suite au piratage du compte de l'Associated Press, Twitter va déployer la double <u>authentificassion</u> sur sa plateforme.

Grosse <u>confussion</u> autour de la date de la rentrée : syndicats, associations de parents d'élèves et ministre n'arrivent pas à se mettre d'accord.

11. PRÉPARER UN EXPOSÉ ORAL

A. Voici une série de formules que vous pourrez utiliser lors de votre exposé. Classez-les dans le tableau selon leur apparition chronologique dans l'exposé.

1. « Je vous remercie de votre attention et suis prêt à répondre à toutes vos questions. »

2. « Remarquons que… »

3. « Permettez-moi de vous présenter… »

4. « Prenons l'exemple de…., ainsi…, »

5. « Si vous avez des questions, je m'efforcerai d'y répondre. »

6. « Passons à … , si vous le voulez bien. »

7. « En résumé, je me permettrai de rappeler que… »

Début	Milieu	Fin
3	2 4 6	1 5 7

B. Voici certains articulateurs utilisés fréquemment dans cette situation. Classez-les dans le tableau.

Autrement dit,… ✓   De plus,… ✓

En raison de… ✓   En revanche,… ✓

En bref,… ✓   Par contre,… ✓

À cause de… ✓   De même,… ✓

En conséquence,… ✓   Or,… ✓

C'est à dire… ✓   Ce qu'il faut retenir, c'est… ✓

En premier lieu / En second lieu / En dernier lieu… ✓

Pour exprimer une progression logique…	Or + En dernier lieu / En premier lieu / en second lieu
Pour ajouter quelque chose…	De plus, De même
Pour souligner une opposition…	Par contre, en revanche / Or
Pour donner une explication…	Autrement dit / À cause de, en raison de / En bref / En conséquence / c'est-à-dire
Pour souligner la cause…	En raison de, à cause de
Pour faire une conclusion…	Ce qu'il faut retenir, c'est / En dernier lieu / En conséquence

4 D'OÙ ÇA VIENT ?

1. ÉTYMOLOGIE(S)

A. Formez 11 paires de mots : nom et adjectif correspondant.

semaine	humain	oculaire	solaire	lunaire	hebdomadaire	lune

œil	mariage	terre	vocal	maison	voix	terrestre	maritime

mer	domestique	eau	soleil	aquatique	homme	matrimonial

	Nom (substantif)	Adjectif
1.		
2.		
3.		
4.		
5.		
6.		
7.		
8.		
9.		
10.		
11.		

antisèche

Du latin et du grec…

En français, comme dans beaucoup d'autres langues, il est fréquent que l'adjectif correspondant à un nom ne soit pas toujours totalement transparent. Il arrive que le nom soit d'origine latine et que l'adjectif soit d'origine grecque, ou vice-versa. C'est le cas de **semaine** (du latin *septimana*) et de l'adjectif **hebdomadaire** (du grec *hebdomas*). Dans d'autres cas, les deux mots ont la même langue d'origine mais ont été pris dans deux registres différents, ou encore dans deux époques ou variantes régionales différentes. C'est à en perdre son latin !

B. Choisissez la collocation qui convient.

1. Un coup de : ☐ soleil
☐ solaire

2. Avoir le pied : ☐ de mer
☐ marin

3. Un ver de : ☐ terre
☐ terrestre

4. La vie : ☐ de terre
☐ terrestre

C. À votre tour, formez d'autres collocations à partir des noms ou des adjectifs du tableau.

....

....

....

....

....

....

2. CES NOMS PAS SI COMMUNS

Voici 9 fiches de Français dont le nom de famille est devenu un nom commun.
Lisez-les et remplissez le tableau ci-dessous.

Silhouette : viendrait du nom d'un contrôleur général des finances de Louis XV, Étienne de Silhouette (1704-1767). Il ne resta à ce poste que 9 mois et fut renvoyé de la cour à cause de l'impopularité de sa politique de restauration des finances qui taxait les privilégiés et les plus riches. Son nom fut employé pour caractériser un passage rapide, puis un dessin à peine ébauché.

Picture that's hardly been started

Montgolfière : du nom des frères Joseph et Étienne Montgolfier, industriels et inventeurs français du XVIIIe siècle. Ils inventèrent les premiers aérostats, ballons à air chaud avec lesquels ils effectuèrent plusieurs ascensions (1783).

Barème : François Barème (1640-1703) est un mathématicien français, auteur d'un des premiers manuels pratiques de comptabilité *Les comptes faits du grand commerce.*

Guillotine : le docteur Joseph Ignace Guillotin a recommandé l'utilisation de cette machine devant l'Assemblée nationale mais n'est en aucun cas son inventeur. Par contre, il mit au point, sur demande du gouvernement, une machine à décollation, la Louison ou la Louisette. Le premier condamné à mort avec la guillotine est Nicolas-Jacques Pelletier, un voleur, le 25 avril 1792.

Mansarde : invention de la première moitié du XVIIe siècle attribuée à l'architecte Jules-Hardouin Mansart (1598-1666). Il imagina l'aménagement de pièces dans les combles.

Praline : du nom de Gabriel de Choiseul, duc de Plessis-Praslin (1598-1675). Cette friandise est mise au point par le cuisinier du duc.

Clémentine : ce croisement entre un mandarinier et un bigaradier doit son nom à l'abbé Clément, chef de culture de l'orphelinat agricole de Mizerghine dans l'Oranais en Algérie.

Béchamelle : elle tient son nom de Louis de Béchameil, marquis de Nointel, maître d'hôtel de Louis XIV. Sa fortune considérable lui permit de devenir l'un des premiers cuisiniers et gastronomes de son époque.

Trampoline : le français Trampolini serait le créateur de cette discipline qui est pratiquée par les trapézistes du cirque au XIXe siècle. Les Américains en codifieront les règles et les figures. Elle est discipline olympique depuis les Jeux olympiques de Moscou en 1980.

Nom	Signification	Origine du mot	Époque d'apparition
Silhouette	Pour caractériser un passage rapide	le général des finances Étienne de Silhouette	XVIIIe siècle le regne de Louis XV
Montgolfière	Un ballon à air chaud	Il a été appelé comme les frères qui l'ont inventé	XVIIIe siècle (1783)
Guillotine	une machine de la décapitation	Dr Joseph Ignace Guillotin	XVIIIe siècle (1792)
Barème	Une échelle de notation	mathématicien français qui a écrit un livre.	XVIIe siècle
Mansarde	Un grenier	le nom de l'architecte qui l'a inventé	Première moitié du XVIIe siècle
Praline	c'est un bonbon d'amande et caramel et c'est un chocolat	le cuisinier du duc	XVIIe siècle
Clémentine un fruit	Un croisement entre un mandarinier et...	a été appelé comme l'abbé Clément	XIXe siècle
Béchamelle	une sauce blanche	le marquis de Nointel Louis de Béchameil	le regne de Louis XIV
Trampoline	c'est une pièce de l'équipement sur laquelle on peut sauter	Vient du créateur de la discipline	XIXe siècle

3. EXPRESSIONS HUMAINES, CARACTÈRE ANIMAL

A. Les animaux sont souvent associés à certaines qualités ou certains défauts de l'être humain. Essayez de replacer dans ce texte les noms d'animaux au bon endroit.

agneau bœuf (x2) âne singe lapin girafe chèvre chat anguille
pigeon lionne taupe merlan cheval carpe cafard taureau
lièvre poule dindon coq canard

Que vous soyez fort comme un ....*bœuf*...., têtu comme un ....*âne*...., malin comme un ....*singe*...., vous êtes tous, un jour ou l'autre, devenus ....*chèvre*.... pour une belle demoiselle. Vous arrivez à votre premier rendez-vous, fier comme un ....*coq*..... Et là, pas un ....*chat*.... ! Vous attendez en vous demandant si elle vous a réellement posé un ....*lapin*..... Il y a ....*anguille*.... sous roche. Finalement elle arrive ! Bon, vous vous dites que dix minutes de retard, il n'y a pas de quoi casser trois pattes à un ....*canard*..... Sauf que la fameuse demoiselle, malgré son cou de ....*girafe*.... et sa crinière de ....*lionne*.... est myope comme une ....*taupe*.... et souffle comme un ....*bœuf*..... Vous roulez des yeux de ....*merlan*.... frit mais vous restez muet comme une ....*carpe*..... Vous avez le ....*cafard*..... Vous finissez par prendre le ....*taureau*.... par les cornes et vous inventez une fièvre de ....*cheval*.... qui vous permet de filer comme un ....*lièvre*..... C'est pas que vous êtes une ....*poule*.... mouillée, vous ne voulez pas être le ....*dindon*.... de la farce. Vous avez beau être doux comme un ....*agneau*...., il ne faut pas vous prendre pour un ....*pigeon*.....

antisèche

Vous hésitez ou tout simplement ignorez la réponse. Cherchez dans le dictionnaire le nom de l'animal et vous y trouverez les expressions associées avec leur définiton.

B. Fait-on les mêmes associations dans votre culture ? Y en a-t-il d'autres ? Donnez des exemples et expliquez-les.

....

....

4. QU'EST-CE QUE L'INTERCOMPRÉHENSION ?

Piste 11

A. Écoutez cet extrait d'interview radiophonique, puis définissez dans vos propres termes **l'intercompréhension**.

....

B. Avez-vous déjà vécu des expériences d'intercompréhension ? À quelles occasions ? Racontez...

....

....

C. Dans les quatre textes de la page Ancrage du *Livre de l'élève*, listez les mots français qui vous semblent transparents parce qu'ils ressemblent à leur équivalent dans d'autres langues que vous connaissez.

Dialecte : dialect (anglais), dialetto (italien)...

Nord : nord (italien), north (anglais), norden (allemand)...

5. CONSULTATION

Répondez à ce courriel en donnant des conseils, comme si vous en étiez le destinataire.

Envoyer   Discussion   Joindre   Adresses   Polices   Couleurs   Enr. brouillon

À : vous@gmail.com

De : sophie29/02@hotmail.fr

Objet : nouvelles

Salut !

Je viens te donner des nouvelles...
Tu te souviens que Jacques m'avait parlé d'un contact qu'il avait dans une multinationale du même secteur que celui dans lequel je travaille ? Eh bien, c'est fait, le contact est établi et j'ai déjà eu trois entretiens. Le salaire suppose une augmentation plus que substantielle par rapport à celui de mon emploi actuel, et les possibilités d'évolution sont bien plus importantes aussi. Il n'y a qu'un seul problème... ça suppose de déménager à Paris et tu sais comme j'ai horreur des grandes villes. Sans compter que je ne connais personne là-bas... Je ne sais vraiment pas quoi faire... Qu'est-ce que tu en penses ?

Merci et à +

Sophie

6. LES USAGES DU CONDITIONNEL

Dites ce qu'exprime le conditionnel dans les phrases suivantes, puis synthétisez les différents usages de ce mode en complétant l'encadré.

		conseil	suggestion	reproche	regret	incertitude
1.	Selon la dernière gazette syndicale, les salaires devraient être augmentés de 1%.					✓
2.	Ça te dirait qu'on s'offre un petit week-end en amoureux, tous les deux ?		✓			
3.	Vous devriez contrôler votre tension plus souvent.	✓				
4.	Ils se seraient mariés dans le plus grand secret.					✓
5.	Vous pourriez regarder où vous marchez, tout de même !			✓		
6.	On ne pourrait pas plutôt aller au théâtre ?		✓			
7.	Des perturbations devraient avoir lieu demain dans toute la France.					✓
8.	À ta place, je n'hésiterais pas un instant.	✓				
9.	J'aurais vraiment dû m'y prendre plus tôt pour m'inscrire.				✓	
10.	Tu aurais quand même pu lui dire bonjour.			✓		
11.	J'aurais préféré qu'il m'en parle avant de s'engager.			✓		

(critique)

inf simple

Le conditionnel présent permet d'exprimer..
Le conditionnel passé permet d'exprimer..

7. DES EXPLICATIONS COMPLEXES...

Regroupez les phrases suivantes en une seule en utilisant un pronom relatif composé, comme dans l'exemple.

Je vais vous assigner un camarade. Vous devrez accomplir cette tâche avec lui.

☞ *Je vais vous assigner un camarade <u>avec lequel</u> vous devrez accomplir cette tâche.*

1. L'étymologie est une science. Grâce à elle, on peut expliquer l'origine des mots.
.... *grâce à / avec laquelle* ....

2. J'ai goûté à ce succulent dessert. Ce chef pâtissier a remporté un prix pour ce dessert.
.... *pour lequel* ....

3. Le roumain est une langue latine. De nombreux Européens peuvent y reconnaître des mots.
.... *de laquelle / dans* ....

4. Il y a des organismes qui offrent des aides aux jeunes sans emploi. Vous pouvez leur demander de l'aide.
.... *et auxquelles / auxquelles* ....

5. J'ai extrait cette information d'un site Internet. Sur ce site, les données sont très souvent actualisées.
.... *sur lequel* ....

6. Le Scrabble est un jeu. On peut enrichir son vocabulaire à partir de ce jeu.
.... *avec lequel / à partir duquel* ....

8. ALLEZ, DEVINE...

A. Lisez ce texte et complétez avec les relatifs qui manquent (simples ou composés).

● Tu sais ce que Raoul m'a offert pour mon anniversaire ?

○ J'sais pas moi... Une bague ?

● Non, pas du tout. Allez, je te donne des pistes, on va voir si tu trouves... C'est pas un truc **1** ......*dont / que*...... on se sert tous les jours tu vois... Voyons, voyons... avant, par exemple, c'était galère : je partais en rando et je devais toujours demander à quelqu'un du groupe qu'il me passe le sien. Maintenant, c'est cool et le sac à dos est plus léger ! Alors, tu vois ce que c'est ?

○ Ben non, pas du tout ! Tu parles, dans le genre description floue, c'est réussi !

● Bon, je t'aide un peu... Alors, c'est un objet **2** ...*avec lequel*... tu peux faire des choses différentes...

○ Ah... ouais, je vois... (*ironique*) Ben, avec ça, tu parles, ça m'aide vachement !

● Non, mais attends, je précise... C'est un objet **3** ...*avec lequel / grâce auquel*... je peux ouvrir une boîte sans me couper.

○ Fastoche ! Un ouvre-boîte !

● Mais non ! Je continue... C'est un objet qui est en métal ou en bois, assez petit, et **4** ...*sur / auquel / où / sur lequel*... tu peux mettre une étiquette avec ton prénom... Alors, j'vais quand même pas de dire le nom ! Tu trouves pas ?

○ Ben, non, j'sais pas moi... Une montre en or submersible et ouvre-boîte à la fois ?

● (*Rire*) Elle est bonne ! Je continue donc ? *à l'aide duquel*

○ Ooooui !

● Bon, là, si tu trouves pas, t'es nase, alors fais un effort : c'est un objet **5** ...*avec lequel*... je peux couper le fromage, le pain et **6** ...*avec lequel*... je peux décapsuler une bouteille de bière, **7** ...*que*... je peux mettre dans une poche et **8** ...*qui*... est pliable.

○ Ah ouais, trop facile ! J'ai compris. Pas super romantique comme cadeau, mais utile ; surtout pour toi qui passes tous les week-ends en montagne ! Non ?

B. Écoutez cette conversation pour vérifier.

Piste 12

C. Maintenant, devinez le cadeau offert par Raoul à Sandrine.

9. LES HASHTAGS

A. Soulignez dans le texte la définition du *mot-dièse* et son utilité selon le journal officiel.

http://rezonances.blog.lemonde.fr/le-journal-officiel-veut-franciser-les-hashtags-en-les-appelant-mots-diese/

Le « Journal officiel » veut franciser les hashtags en les appelant « mots-dièse » # # #

Vous utilisez Twitter, Google+ ou consultez des sites qui mettent des "#" avant certains mots pour répertorier tous les contenus liés à ce sujet ? Nos législateurs également. Au point d'avoir trouvé un terme officiel en français pour désigner ce qu'on nomme habituellement "hashtag" : le "mot-dièse".

Cette perle signalée par Rue89 a été publiée mercredi 23 janvier dans le Journal officiel ("JORF n°0019 du 23 janvier 2013 page 1515") et s'inscrit dans le "vocabulaire des télécommunications et de l'informatique".

Le "mot-dièse, n.m." est donc officiellement une "suite signifiante de caractères sans espace commençant par le signe # (dièse), qui signale un sujet d'intérêt et est insérée dans un message par son rédacteur afin d'en faciliter le repérage".

Le Journal officiel précise qu'"en cliquant sur un mot-dièse, le lecteur a accès à l'ensemble des messages qui le contiennent", que "l'usage du mot-dièse est particulièrement répandu dans les réseaux sociaux fonctionnant par minimessages" (on se demande lesquels...).

[...]

Dans le même ordre d'idée, le Bureau de la traduction au Canada (que l'on sait strict en matière de "francisation") avait déjà encouragé l'utilisation du mot "gazouillis" pour parler des messages envoyés sur Twitter – étant parvenu à la conclusion qu'il valait mieux dire qu'on "partageait un gazouillis" plutôt que de parler de *retweet*.

Pendant ce temps-là, les mots "tweets" et "Twitter" ont fait leur apparition dans *Le Petit Robert* depuis l'édition 2012. Et de notre côté, on préférera plus simplement continuer à parler de "mots-clés" pour évoquer ces "*suites signifiantes*" qui reviennent fréquemment dans nos articles.

Source : Michaël Szadkowski, Blog Rézonances, Le Monde.fr, 23 janvier 2013.

B. Que propose le bureau de la traduction au Canada comme mot francisé ? Le trouvez-vous pertinent ? Humoristique ? Poétique ? Ridicule ? Réagissez en laissant un commentaire sur le site.

Réagissez

C. La Délégation générale à la langue française et aux langues de France (DGLF), dans son guide *Vous pouvez le dire en français++++* propose une liste de termes, publiés au *Journal officiel*, qui « doivent être obligatoirement employés par les services de l'État. »

Voici quelques exemples :

On ne dit pas « un deal » mais plutôt un accord.
On ne dit pas « un mail » mais plutôt un courriel.
On ne dit pas « un time out » mais plutôt un arrêt de jeu.

1. Cherchez la francisation des mots ci-contre.

....

....

....

2. Connaissez-vous d'autres mots d'origine étrangère que vous souhaiteriez franciser ? Lesquels ? Comment pourriez-vous les franciser ?

....

Binge drinking
Phishing
Casting
Coach
Prime time
E-book
Preview

peasant — *country bumpkin*

10. DEPUIS LE MOYEN ÂGE

A. Complétez ce test de connaissances avec les structures de mise en relief qui conviennent, puis répondez-y.

1. Quand a-t-on marché sur la Lune pour la première fois ?
a. À la fin du XVIIIe siècle. .... un Allemand, le baron de Münchhausen, ... a construit le premier engin capable d'aller sur la Lune.
b. Au XIXe siècle. La toute première fusée fonctionnait à vapeur.
c. En 1969, l'Américain Armstrong a été le premier homme à marcher sur la Lune.

2. Jusqu'à quand a-t-on mangé avec les doigts en France ?
a. Jusqu'à la fin du XVIe siècle. .... le roi Henri III ...., à cette époque-là, met à la mode l'usage de la fourchette à la cour.
b. Jusqu'à l'invention de la fourchette en 1881 par un médecin français, Monsieur de La Fourchette.
c. Jusqu'au début du XXe siècle. .... par la Loi Douapropre .... le gouvernement interdit de manger avec les doigts, pour des questions d'hygiène.

3. À quelle époque a-t-on commencé à trinquer ?
a. À la Renaissance. On trinquait pour qu'un peu de vin passe dans le verre de l'autre, montrant ainsi qu'il n'y avait pas de poison dans la boisson.
b. À l'époque des Beatles. .... les hippies ...., dans leurs fêtes, inventent ce geste devenu universel. « Trinquer » vient du mot anglais « drink ».
c. Au temps des Romains. Pour célébrer une victoire militaire, les légionnaires romains avaient l'habitude de choquer (trinquer) leurs coupes avant de boire.

4. Depuis quand les femmes ont-elles le droit de voter en France ?
a. Depuis la Révolution française (1789). .... Robespierre .... accorde le droit de vote aux femmes.
b. Depuis 1944 (grâce à une ordonnance du gouvernement provisoire), mais .... en 1945 .... elles votent pour la première fois.
c. Depuis le Moyen Âge.

B. À votre tour, rédigez un quiz similaire en rapport avec votre langue et votre culture. Tâchez d'utiliser les structures de mise en relief que vous avez vues dans cette unité. Amenez-le ensuite en classe pour le soumettre à vos camarades.

11. PRÉFIXES ET SUFFIXES

search

A. Placez ces mots dans le tableau en fonction du sens donné par leurs **préfixes** respectifs.

décomposé   survêtement   entracte   désespoir   réapparaître   mécontent   mésaventure   rechute

encercler   suralimenter   prénom   sous-vêtement*   postopératoire   transpercer   atypique

atypique +

Exemples	Préfixe	Sens
décomposé	dé-	
désespoir	~~dés~~ a-	négation, privation ou séparation
mécontent mésaventure	~~dé~~ mé-	
postopératoire	post-	postériorité (après)
prénom	pré	antériorité (avant)
réapparaître	re-	répétition
rechute	re-	

Exemples	Préfixe	Sens
suralimenter	sur-	intensité forte
survêtement		au-dessus / par-dessus
sous-vêtement	sous	au-dessous / par-dessous
~~atypique~~	~~a~~ trans	à travers
(en) encercler	en-	
entracte	entre-	dans ou entre

entre

* Les composés formés de **sous** et d'un autre mot français ont toujours un trait d'union.

B. Pour retrouver un type de mot à partir d'un autre, par exemple un verbe à partir d'un adjectif, il suffit souvent d'ajouter, de supprimer ou de changer un suffixe. Complétez les tableaux suivants.

Noms	Adjectifs
campagne	campagnard(e)
confort	confortable
forme / formalité	formel(le)
nom	nominal(e)
lait	laitier
théorie	théorique
dent	dentaire
propriété / propreté	propre
romance / romantisme	romantique

Adjectifs	Noms
beau	beauté
vieux	vieillesse
rentable	rentabilité

check

Verbes	Noms
créer	création
encadrer	encadrement
obliger	obligation
(se) promener	promenade
supposer	supposition
nager	nageur / nageuse
sentir	senteur / sentiment → smell as well?

Adjectifs	Adverbes
normal(e)	normalement
patient(e)	patiemment
nominatif	nominativement
formel(le)	formellement
élégant(e)	élégamment

Adjectifs	Verbes
rouge	rougir
égal(e)	égaler / égaliser
patient(e)	patienter
formel(le)	formaliser

C. Relisez maintenant l'ensemble des tableaux et faites l'inventaire des différents suffixes et de leurs possibles fonctions.

Le suffixe –ard sert à former des noms et des adjectifs ....

....

12. « ON ? QUI ÇA, ON ? »

A. Lisez ces définitions, proverbes et articles, et précisez le sens du pronom **on** dans chacun des cas.

1 **On** n'est jamais si bien servi que par soi-même. ....

2 Le mot « fric » apparaît chez les cambrioleurs en 1879. **On** pense qu'il dérive du mot « fricot » qui signifie « nourriture », mais aussi « activité fructueuse ». ....

3 Parler argot, c'est d'abord parler en marge. **On** s'exprime de manière codée soit par nécessité, lorsque pour une raison quelconque **on** ne veut pas que les non-initiés comprennent ce que l'**on** raconte, ou bien par jeu. À ces deux fonctions, **on** doit en ajouter une autre, celle de la connivence au sein d'un groupe. ....

4 Quand **on** parle d'argot et de verlan, **on** ne peut pas manquer d'évoquer des personnalités telles que Villon, le poète (1431-1463), Vidocq, l'ancien bagnard devenu policier (1775-1857), le chanteur Aristide Bruant (1851-1925), les écrivains Rabelais (1494-1553), Céline (1894-1961) et San-Antonio (1921-2000), les rappeurs NTM, Ministère A.M.E.R, IAM et bien d'autres ; tous ayant contribué à développer et à vulgariser ces formes de langage.

5 Lorsqu'**on** est vieux, **on** parle toujours de la jeunesse. ....

6 **On** l'a souvent dit, c'est en mai 1968 que les murs ont pris la parole, c'est là---- qu'**on** a vu que la jeunesse se libérait en libérant son langage. ....

B. Réécrivez ces phrases sans utiliser ce pronom.

www. ~~cnrt~~ cnrtl. fr

13. LES DOUBLES CONSONNES

Piste 13

A. Écoutez ces mots et placez-les dans la bonne colonne selon leur orthographe.

	Consonne simple	Consonne double
1.		
2.		
3.		
4.		
5.		
6.		
7.		
8.		

antisèche

Quand faut-il doubler les consonnes ? La règle générale indique qu'une consonne n'est jamais doublée après une autre consonne. Cependant, il existe de nombreuses exceptions à cette règle !

C ou CC

Dans les mots commençant par « ac » et « oc » , le *c* est généralement doublé (*accabler, occasion*...). Le « c »est souvent doublé en particulier après les syllabes « bac », « rac », « sac », « suc » (*baccalauréat, succès, ...*) mais il existe des exceptions (*bâcler, raconter, sacoche, sucre*...).

F ou FF

Dans les mots commençant par « af », « ef », « of », le *f* est généralement doublé (*efficace, office*...) mais il existe des exceptions (*Afrique, afin*...).

L ou LL

Il n'existe pas de règle générale. Cependant, le *l* est souvent doublé lorsque l'on veut obtenir le son « è » ouvert (*appelle, pelle*...).

P ou PP

Le *p* n'est généralement doublé que dans les mots commençant par « ap » (*appauvrir, appeler*...). Dans les mots commençant par « ép », « ip », « op », le *p* n'est pas doublé (*épingle, opinion*...).

R ou RR

Le *r* n'est jamais doublé dans les mots commençant par « or » et « ur » (*origine*...) mais est généralement doublé dans les mots commençant par « ir » (*irriter, irréel*...).

S OU SS

Le doublement du *s* permet d'obtenir le son « s » dur, alors que le *s* non doublé entre deux voyelles prend le son « ze ».

B. Trouvez l'intrus mal orthographié dans les listes suivantes et corrigez-le.

- occasion, acumuler, accident

- afreux, effacer, offusquer

- appartenir, oppérette, épidémie

- apeler, courrir, obession

- concurrencer, essayer, accepter

- ordonnance, urbanisation, irationnel

- pousette, blouson, vaisselle

- eficace, danser, opérrer

P R FF RR SS LL C

14. DÉCOUPER POUR MIEUX COMPRENDRE

A. Avez-vous déjà essayé de comprendre un mot inconnu en le découpant ? Observez le raisonnement pour déduire le sens du mot **irrévocablement** et essayez, en vous aidant des tableaux de l'activité 11, de définir les mots de la liste ci-dessous.

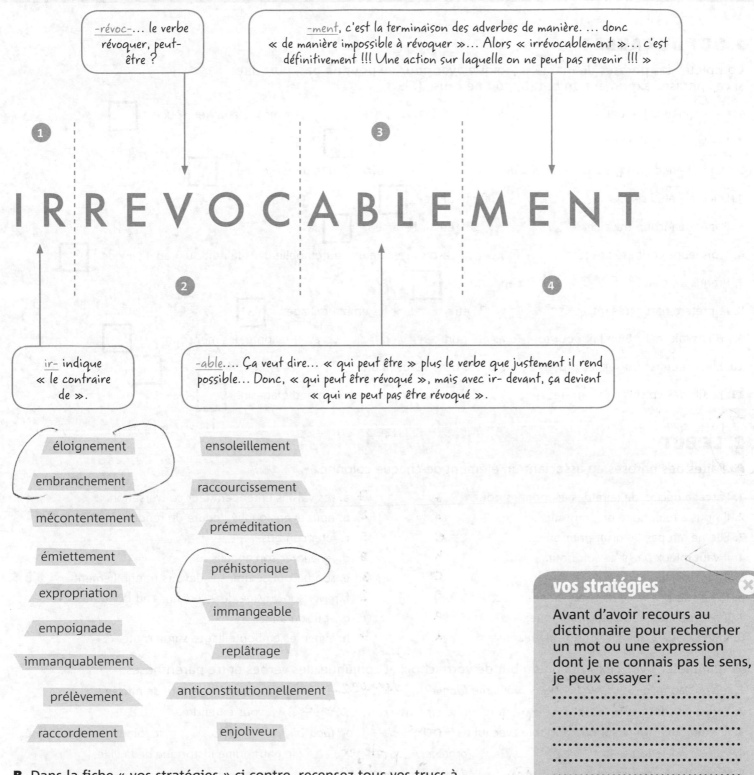

-révoc-... le verbe révoquer, peut-être ?

-ment, c'est la terminaison des adverbes de manière. ... donc « de manière impossible à révoquer »... Alors « irrévocablement »... c'est définitivement !!! Une action sur laquelle on ne peut pas revenir !!! »

1

3

IRREVOCABLEMENT

2

4

ir- indique « le contraire de ».

-able.... Ça veut dire... « qui peut être » plus le verbe que justement il rend possible... Donc, « qui peut être révoqué », mais avec ir- devant, ça devient « qui ne peut pas être révoqué ».

éloignement

ensoleillement

embranchement

raccourcissement

mécontentement

préméditation

émiettement

préhistorique

expropriation

immangeable

empoignade

replâtrage

immanquablement

anticonstitutionnellement

prélèvement

raccordement

enjoliveur

B. Dans la fiche « vos stratégies » ci-contre, recensez tous vos trucs à essayer face à un mot inconnu pour en déduire le sens avant d'avoir recours au dictionnaire.

vos stratégies ✕

Avant d'avoir recours au dictionnaire pour rechercher un mot ou une expression dont je ne connais pas le sens, je peux essayer :

....
....
....
....
....
....
....
....
....

5 C'EST MA VILLE !

1. BUT OU CAUSE ?

Complétez les phrases de manière logique avec **pour** ou **pour ne pas**, puis dites si ces phrases expriment un but (B) ou une cause (C).

[handwritten top right: → Semáfaro, traffic lights]

1. Ce matin, en allant au travail, j'ai eu une contravention ......*pour*...... avoir brûlé un feu rouge. **C**

2. Je n'ai pas voulu sonner ......*pour ne pas*...... réveiller les petits. **B**

3. Denis a été convoqué chez le directeur ......*pour*...... avoir insulté un professeur. **C**

4. Ducros a été licencié ......*pour*...... faute grave. **C**

5. Il faut beaucoup travailler ......*pour*...... réussir l'examen. **B**

6. Trois jeunes ont été arrêtés ......*pour*...... avoir incendié une automobile dans la nuit du 3 au 4 janvier. **C**

7. Prends un café *pour ne pas* t'endormir ! **B**

8. Je préfère partir très tôt *pour ne pas* être pris dans les embouteillages. **B**

9. Tu t'es fait mal ? Bien fait pour toi ! Tu as été puni ......*pour*...... avoir raconté des mensonges ! **C**

10. Elle est en retard sur ses projets et elle a décroché le téléphone ......*pour ne pas* ~~arrête~~ être dérangée. **B**

11. Le fils des voisins a été arrêté ......*pour*...... avoir volé dans ce grand magasin. **C**

2. LE BUT

[handwritten: B = infinitif simple   C = infinitif composé/passé]

A. Faites des phrases en associant un élément de chaque colonne.

1. Pascal a décidé de faire des économies pour... **f**
2. Il nous a téléphoné de peur que... **b**
3. Elle ne fait pas de bruit pour que... **e**
4. Il vaut mieux partir ce soir pour... **h**
5. Il se dépêche de peur de... **c**
6. Je ne suis pas venu hier soir de peur de... **g**
7. Il a fermé la fenêtre de crainte que... **a**
8. Julie a passé 2 mois à Londres de manière à... **d**

7. **a.** ses voisins entendent leur conversation.
2. **b.** nous ayons oublié l'heure du rendez-vous.
5. **c.** rater son bus.
8. **d.** améliorer son anglais.
3. **e.** son fils puisse finir ses devoirs tranquillement.
1. **f.** payer son voyage de 2 semaines au Honduras.
6. **g.** vous déranger.
4. **h.** éviter les embouteillages sur la route.

[handwritten: pour / pour que = + as formal]

B. Complétez avec l'expression du but de votre choix et conjuguez les verbes entre parenthèses.

1. Je vous appelle ......*pour que*...... vous me (donner) ......*donniez*...... les horaires d'ouverture de musée.

2. Parlez plus fort *de façon à ce que* tout le monde (pouvoir) ......*puisse*...... vous entendre.

3. Il a toujours son téléphone portable avec lui ......*pour que*...... on (pouvoir) ......*puisse*...... le joindre sans difficulté.

4. Cette association se bat ......*pour*...... (protéger) ......*protéger*...... le patrimoine historique de la ville.

5. J'ai finalement pris un taxi ......*afin*...... d'(arriver) ......*arriver*...... à l'heure.

6. L'entrée du cinéma a été modifiée *de manière à ce que* les handicapés (pouvoir) ......*puissent*...... y accéder.

7. Je t'ai fait un plan ......*afin que*...... tu ne te (perdre) ......*perdes*...... pas.

8. Cet architecte travaille sous un pseudonyme ......*afin*...... de (préserver) ......*préserver*...... son identité.

C. Complétez librement les phrases suivantes.

1. Elle a acheté une voiture afin que

2. Les habitants de mon immeuble ont signé une pétition de peur de

3. Elle a promis de ne favoriser personne afin de *prendre une décision juste.*

4. Ils ont tout organisé à la perfection de façon à ce qu'*elle ne sache rien de sa fête de surprise.*

5. Le planning de visites des monuments de la capitale a été modifié de manière à ce que

6. Pourriez-vous parler plus fort de sorte que *je puisse vous entendre mieux ?*

?

7. Ces touristes cherchent un hôtel pour *y rester pendant ~~se~~ leur vacances en Espagne en juillet.*

8. Elle range systématiquement ses objets de valeur de peur de

9. L'équipe de direction a accepté les revendications des grévistes de peur que

10. J'ai demandé au chauffeur de taxi d'accélérer de manière à ce que *nous puissions voir tout le film au cinéma.*

3. LA CONSÉQUENCE

Complétez librement les phrases suivantes.

1. Le coût de la vie dans cette ville est devenu si cher que *nous ne pouvons plus y ~~vivre~~ habiter.*

2. Ma femme et moi aimons tellement l'architecture que *nous allons visiter Barcelone cette année.*

3. Il y avait une très longue file d'attente devant le musée, du coup

4. Hier, il y a eu des grèves de bus si bien que

5. Le directeur a pris cette décision sans consulter ses salariés. C'est pourquoi

6. J'ai oublié mon téléphone portable en partant ce matin, donc *j'espère que personne ne doit pas me contacter.*

7. Ce monument historique était ouvert exceptionnellement au public aujourd'hui, alors *il y a ~~trop de gens~~ beaucoup plus gens que ~~normalement~~.*

8. Il a décidé de ne pas faire grève de manière à

9. Ce quartier est tellement bien desservi par les transports en commun que *les gens du coin vont manifester le vendredi.*

10. Il s'est mis dans un coin à l'abri des regards de façon que

l'alternatif pour ~~toper~~ les produits de ~~bouteille~~.

4. CHANGEMENT CLIMATIQUE

A. Selon certains experts, ce sont les voitures et l'industrie qui rejettent du CO_2 dans l'atmosphère qui sont responsables de ce changement climatique. À partir de vos propres observations et informations, complétez les phrases suivantes.

1. Les hivers sont devenus tellement doux en Europe que ....

....

....

2. Selon certains experts, d'ici un siècle, le niveau des eaux aura tellement

augmenté que ....

....

3. Les températures changent tellement au cours d'une même semaine que

....

....

4. Il y a eu tellement peu de neige dans les stations de ski cet hiver que .....

....

....

5. Il est vrai que tous ces phénomènes sont inquiétants, mais des scientifiques sérieux disent aussi qu'il est tellement difficile

de mesurer l'impact réel de l'industrie humaine sur le climat et que tellement d'autres facteurs (par exemple, les irruptions

volcaniques qui rejettent aussi du CO_2) interviennent que ....

....

B. Réécrivez ces phrases en remplaçant **tellement** par **si** ou par **tant** puis complétez la règle.

....

....

....

....

....

> On peut remplacer « tellement »
> par .... devant un adjectif.
> On peut remplacer « tellement»
> par .... dans tous les autres
> cas.

C. Complétez ces phrases avec les structures **tellement / si / tant (de)**... pour évoquer les phénomènes en France pendant un hiver particulièrement doux.

1. Il a fait .... beau sur la Côte d'Azur pendant les fêtes de Noël que beaucoup de gens se sont baignés.

2. Les températures ont été .... douces sur la côte normande que certains arbres fruitiers ont fleuri en décembre.

3. La Mer de Glace (le plus grand glacier de France, situé près de Chamonix) a .... fondu que les experts sont inquiets à propos de l'avenir de cette merveille de la nature.

4. Il a fait .... peu froid cet hiver dans le nord de la France que bon nombre de familles n'ont pas eu besoin d'allumer le chauffage.

5. Les hautes températures ont provoqué des tempêtes et il y a eu .... de vent dans la nuit du 2 au 3 janvier en Île-de-France que beaucoup d'arbres ont été arrachés et que les toits de certaines maisons se sont envolés.

5. POUR ENTRER, PASSEZ PAR LA PYRAMIDE

A. Écoutez et prenez des notes. Puis faites un petit résumé du thème de l'audio.

Piste 14

B. Lisez ce texte sur la pyramide du Louvre extrait d'un guide touristique et indiquez la valeur de **pour** et de **par** en les plaçant dans le tableau ci-dessous.

TOURISME

QUELQUES CHIFFRES

Hauteur de la pyramide : 21,65 m

Longueur de la base de la pyramide : 35 m

Angle d'inclinaison : 51,7 degrés

Vitres : 675 losanges en verre de 3 m x 1,80 m
Chaque losange pèse 150 kg. 118 cadres triangulaires

Construction porteuse : 6 000 poutres (de 58 à 90 mm) et 2 100 nœuds de jonction

Poids de la construction porteuse : 95 tonnes

Poids total de la pyramide : environ 180 tonnes

Conçue **par** l'architecte sino-américain Leo Ming Pei, la construction de la pyramide a été motivée **par** l'état lamentable dans lequel se trouvait le musée du Louvre au début des années 80. On y avait accès **par** une porte latérale et la cour Napoléon (où se dresse aujourd'hui la pyramide) servait de parking sauvage. La première phase des travaux dura sept ans et c'est le 14 octobre 1988 que François Mitterrand, alors président de la République, inaugura la nouvelle entrée du musée. Dans son discours, le président insista sur l'esthétique « vivante **par** la lumière, **par** les miroitements de l'eau, **par** les jets d'eau ».

Cette structure de verre et d'acier au cœur du Palais royal, bâtiment du XVIIᵉ siècle, provoqua quelques protestations tout comme l'avait fait la tour Eiffel lors de sa construction en 1889. Depuis, la tour Eiffel est devenue le symbole de Paris et la pyramide est à son tour devenue un site visité **par** les touristes du monde entier. On peut affirmer qu'il s'agit aussi d'une réussite architecturale car cette pyramide a été conçue **pour** donner un meilleur accès aux magnifiques collections du musée du Louvre. Sous la cour Napoléon, un vaste espace d'accueil a été aménagé avec tous ses services : guichets, vestiaires, toilettes, restaurants, boutiques, etc.

Il faut toutefois signaler une difficulté **pour** nettoyer les 675 losanges en verre qui forment la pyramide. En effet, au moment de sa construction, personne en France ne savait comment s'y prendre. Une légende urbaine raconte qu'elle est nettoyée régulièrement **par** une équipe d'Indiens du village de Kanawaké spécialisée dans le nettoyage des gratte-ciel de New York. Ces personnes viendraient spécialement des États-Unis **pour** l'entretien de la pyramide.

Exemples	Valeurs de *pour* et de *par*
	La préposition .... introduit l'auteur d'une action.
	La préposition .... indique un passage, un lieu que l'on traverse.
	La préposition .... suivie d'un substantif ou d'un pronom indique le bénéficiaire d'une action.
	La préposition .... suivie d'un infinitif indique le but d'une action.
	La préposition .... indique le moyen.

C. Rédigez un texte de présentation de ces monuments sur le modèle de celui de la pyramide du Louvre (60-80 mots).

LE PANTHÉON

Construction : Édifice religieux de la Rome antique.

Objectif : Temple à la gloire de toutes les divinités de la Rome antique.

Particularité : Seul monument du monde antique gréco-romain complètement intact et ayant toujours été utilisé depuis sa construction.

LA MURAILLE DE CHINE

Construction : IIIᵉ siècle av. J.-C. sur décision de l'empereur Shi Huangdi qui a fait relier les tronçons existants.

Objectif : Se protéger des invasions.

Particularité : C'est la plus longue construction humaine du monde, environ 6 400 km de construction.

LE TAJ MAHAL

Construction : XVIIᵉ siècle.

Objectif : Construction d'un tombeau à l'initiative de l'empereur moghol Shah Jahan à la mémoire de son épouse, Mumtâz-i Mahal.

Particularité : L'amour est à la base de ce joyau de l'architecture indo-musulmane.

6. POUR OU PAR ?

A. Complétez les phrases suivantes avec **par** ou **pour** en justifiant votre réponse à l'aide de ce que vous venez de voir dans l'exercice précédent et du précis de grammaire du livre de l'élève.

1. Il a réalisé cette campagne *pour* 1 million d'euros. —————→ prix : indique le moyen

2. Je gagne autour de 1 300 euros *par* mois. —————→ distribution du temps

3. J'ai appris *par* la radio qu'il était revenu en France. —————→ moyen

4. Excusez-moi ! J'ai dû faire votre numéro *par* erreur ! —————→ erreur

5. Cette plainte a été faite *par* un de nos clients. —————→ la voix passive / auteur d'une action

6. L'entrée est à 28 € *par* personne. —————→ échange de l'argent pour produit / service

7. J'aimerais savoir *par* où vous êtes passés. —————→ indique un passage

8. Désolé ! On ne donne pas de renseignements *par* téléphone. —————→ à travers de

9. Il est sorti *pour* faire des courses. —————→ but (apude) + inf

10. J'appellerai les élèves *par* ordre alphabétique. —————→ distribution

11. Les handicapés ne peuvent pas passer *par* cette petite porte. —————→ indique un passage / traverse

12. J'ai fait refaire mon appartement. J'en ai eu ~~par~~ *pour* plus de 1 000 euros. —————→ Prix = quantité

13. Ils iront au Sénégal *pour* les vacances. —————→

14. Je suis entré(e) dans ce magasin *par* curiosité. —————→ raison

15. Cette compagnie aérienne est surtout utilisée *par* les hommes d'affaires. —————→ La voix passive / auteur d'une action

16. Il est chez nous *pour* une semaine encore. —————→ la durée (temps)

17. Il a eu une amende ~~pour~~ *par* avoir garé sa voiture en double file. —————→ cause

18. Appuyez sur le 0 *pour* avoir une ligne. —————→ but

19. *Pour* son anniversaire, ils lui ont offert un billet d'avion *pour* les Caraïbes. —————→ / destination

20. Nous sommes venus *par* l'autoroute A61. —————→ Préposition = indique un passage

21. Le week-end prochain, on part dans les Alpes *pour* faire du ski. —————→ but

22. Il a été arrêté ~~pour~~ *pour* avoir brûlé un stop. —————→ cause

23. Je vous laisse ces dépliants ici. Ils sont *pour* les clients. —————→ destinataire de quelquechose

B. Complétez ces quatre slogans publicitaires.

Modys : *pour* toutes les accros de la mode.

Sup'école, parce que le succès d'une carrière passe d'abord *par* une formation solide.

Néojob ? Et si vous commenciez à travailler *par* (cause) plaisir !

lePortail.com. *Pour* savoir *par* où commencer sur Internet.

C. Inventez-en deux de plus en utilisant **par**, **pour** ou les deux.

Parfum de Cannes / eau de toilette Cannes

Par nous, pour vous

7. LA VILLE IDÉALE

A. Relevez dans le texte des informations pour compléter les 2 tableaux suivants.

http://www.leparisien.fr

La ville idéale dont rêvent les Français

FRANCE

Résultat d'un sondage dévoilé par « le Parisien » - « Aujourd'hui en France » et France Bleu.

Des villes à taille humaine, sûres, dans lesquelles on connaît ses voisins, bien pourvues en commerces, en moyens de transport et en équipements socioculturels... Telle est la ville du futur dont rêvent les Français, selon ce sondage Ipsos commandé par l'agence Anatome, dans le cadre du colloque organisé à partir de demain par Reims Métropole sur son grand projet urbain. Quand on parle de ville, les sentiments positifs dominent à 48%. En particulier quand ces agglomérations font moins de 20 000 habitants, une taille qui constitue l'idéal pour 47% des sondés.

Et dans ces villes « parfaites », c'est la diversité des commerces qui semble le plus important pour la moitié des personnes interrogées, devant la multiplicité des activités culturelles, les facilités de déplacement, la présence de services publics et la proximité des écoles, collèges et lycées.

Sans surprise, ce que les Français n'aiment pas dans les villes, ce sont les embouteillages, les difficultés de stationnement, la pollution, le bruit et le stress. Des soucis qui augmentent en général avec la taille de la ville, au point que 39% des personnes vivant dans une commune de plus de 20 000 habitants souhaiteraient la quitter.

Pour l'avenir, c'est d'abord la sécurité des personnes et des biens qui préoccupe ces urbains. Un domaine qui sera le plus important défi des villes du XXIe siècle, pour 42% des gens ; cela, quelle que soit la taille de la commune. Viennent ensuite l'accès au logement et la sauvegarde des commerces de proximité.

Mais malgré tous les inconvénients de la vie en ville et l'attrait que le « retour à la terre » exerce aujourd'hui, les Français jugent que l'expérience urbaine vaut la peine d'être vécue ; 82% s'installeraient de nouveau dans la ville où ils résident actuellement. Plus fort, 67% des Français souhaiteraient que leurs propres enfants grandissent dans leur commune actuelle.

Ce chiffre monte même à 72% quand il s'agit de résidants de villes de 2 000 à 20 000 habitants ! Preuve, s'il en était besoin, que le futur des Français est définitivement urbain.

Laissez votre témoignage

Vos réactions (0)

Réagir

 Nom :

Source : LeParisien.fr, 2 décembre 2010.

	Critères positifs (par ordre d'importance)	Critères négatifs (par ordre d'importance)
1.		
2.		
3.		
4.		
5.		

	Défi des villes du XXIe siècle (par ordre d'importance)
1.	
2.	
3.	

B. Et vous ? Quels seraient les critères les plus importants pour choisir votre ville idéale ? Pensez aux problèmes des villes de votre pays et aux défis qu'elles devraient relever. Argumentez vos choix en utilisant les expressions du but (180-200 mots).

Exemple : Pour moi, la proximité des commerces est un critère important de façon à ne pas avoir à faire des kilomètres pour les courses.

Laissez votre témoignage

Vos réactions (0)   Réagir

Nom :

8. LA PLACE DE L'ADJECTIF

A. Soulignez la forme correcte.

1. Certains médicaments, pris avec excès, deviennent parfois *de véritables poisons / des poisons véritables* pour le patient.

2. Dans notre société, beaucoup de personnes sont à la recherche de *l'amour véritable / du véritable amour*.

3. J'ai acheté chez ce bouquiniste *l'unique exemplaire / l'exemplaire unique* qu'il lui restait.

4. Il ne fait rien comme les autres. C'est vraiment *un cas unique / un unique cas*.

5. Elle a des difficultés à dormir depuis *les événements tristes / les tristes événements* qu'elle a vécus.

6. Ma sœur a horreur *des tristes chansons / des chansons tristes*.

7. Mon mari a du mal à se débarrasser de *ses habitudes anciennes / ses anciennes habitudes* d'adolescent. C'est pénible !

8. C'est un vrai collectionneur. Il aime *les meubles anciens / les anciens meubles*.

9. Ce matin, j'ai vu *une curieuse fille / une fille curieuse* dans la rue. Elle portait son pull et son pantalon à l'envers.

10. Il s'intéresse à tout. C'est un *curieux garçon / garçon curieux* !

B. À votre tour, choisissez dans cette liste 5 adjectifs et imaginez des phrases dans lesquelles chaque adjectif est placé avant ou après le nom selon le sens.

certain	cruel	dernier	dur
faux	futur	grand	nouveau
	pauvre	propre	sale

9. /ʃ/ OU /K/

A. Indiquez dans le tableau si le son en gras se prononce /ʃ/ ou /k/.

	/ʃ/	/k/
1. ar**ch**itecte		
2. é**ch**o		
3. **ch**loroforme		
4. ar**ch**aïque		
5. ar**ch**ive		
6. **ch**ronomètre		
7. **ch**ronique		
8. a**ch**ille		
9. ar**ch**itecture		
10. **ch**irurgien		

B. Écoutez et vérifiez vos réponses.

Piste 15

10. PH OU F ?

Ortographiez les mots suivants avec la forme correcte.

1. agra [   ] e

2. gira [   ] e

3. sym [   ] onie

4. paragra [   ] e

5. calori [   ] ique

6. [   ] énomène

7. am [   ] ithéâtre

8. élé [   ] ant

9. [   ] armacien

10. géogra [   ] ie

11. vidéocon [   ] érence

12. xilo [   ] one

antisèche

Ph ou f ?

Les mots avec « f » dérivent d'un mot latin. Les mots avec « ph » viennent du grec et désignent pour la plupart des termes scientifiques ou médicaux. Ce sont, par exemple, les mots en « graph- / -graphe (écriture)», « philo- / -phile (qui aime) », « Phon- / -phone (son) », etc.

11. POSER UNE CANDIDATURE (VILLE)

Observez cette carte heuristique qui va vous aider à organiser des idées secondaires autour d'un sujet principal. Puis à votre tour, réalisez une carte heuristique sur les sujets suivants.

• Environnement

• Transport

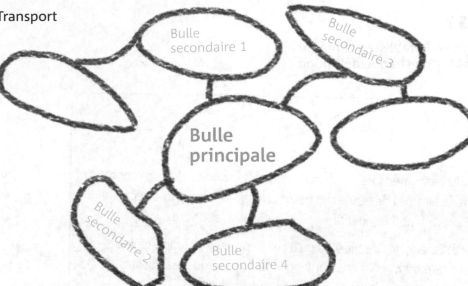

Bulle principale : Motivation, concept et opinion publique

• Bulle secondaire 1 : Dates de l'événement

• Bulle secondaire 2 : Motivation

• Bulle secondaire 3 : Concept (slogan, logo)

• Bulle secondaire 4 : Opinion publique

Bulle principale : Financement

• Bulle secondaire 1 : Budgets consacrés à l'événement

• Bulle secondaire 2 : Perspectives de revenus

Bulle principale : Sites

• Bulle secondaire 1 : Sites de compétition / de spectacles

• Bulle secondaire 2 : Emplacement des sites

• Bulle secondaire 3 : Autres sites

Bulle principale : Hébergement

• Bulle secondaire 1 : Hôtels

• Bulle secondaire 2 : Hébergement des médias

Bulle principale : Transports

• Bulle secondaire 1 : Infrastructure des transports

• Bulle secondaire 2 : Aéroport

• Bulle secondaire 3 : Difficultés des transports

• Bulle secondaire 4 : Distances et temps de trajet

Bulle principale : Conditions générales et expérience

• Bulle secondaire 1 : Population

• Bulle secondaire 2 : Environnement

• Bulle secondaire 3 : Météorologie

• Bulle secondaire 4 : Expérience

1. BESOINS RÉELS OU FICTIFS ?

A. Lisez l'article sur la Pyramide de Maslow. Rétablissez la hiérarchie des besoins en inscrivant le numéro en face de chaque définition.

> **MARKETING**
>
> **La Pyramide de Maslow**
>
> Contre les critiques incessantes à l'égard du consumérisme, la plupart des professionnels du marketing soutiennent que les nouveaux produits ne créent pas de nouveaux besoins mais apportent une réponse satisfaisante à des besoins préexistants. Encore faut-il les identifier pour pouvoir y répondre...
>
> Maslow propose de distinguer cinq grandes catégories de besoins qu'il classe de manière hiérarchique. Ainsi, les besoins d'ordre supérieur ne sont fortement ressentis par l'individu que lorsque les besoins d'ordre inférieur sont satisfaits.

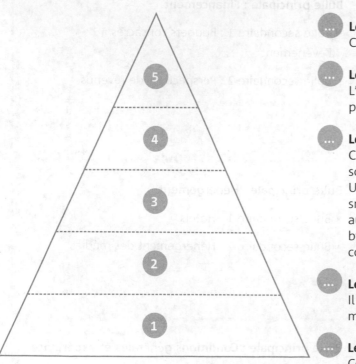

... **Le besoin de s'accomplir**
C'est la réalisation de soi.

... **Le besoin d'appartenance**
L'homme est un animal social. Il a besoin de se sentir accepté et aimé par sa famille ou le groupe de personnes avec lequel il vit.

... **Le besoin d'estime**
C'est le désir d'être estimé par soi-même et par les autres. Le respect de soi passe souvent par le respect que semblent vous porter les autres. Un exemple des conduites que peut générer ce besoin d'estime est le snobisme par lequel l'individu cherche à imposer à lui-même et aux autres une image de lui-même qu'il juge digne d'estime. Le souci de bien tenir son rôle social est un exemple plus noble de ce à quoi peut conduire le besoin d'estime.

... **Le besoin de sécurité**
Il s'agit du besoin d'être protégé contre les divers dangers qui peuvent menacer les individus.

... **Les besoins physiologiques**
Ce sont les besoins directement liés à la survie des individus ou de l'espèce. Il s'agit de la faim, de la soif, du sommeil et des besoins sexuels.

B. Selon vous, à quel(s) type(s) de besoins correspondent les produits et services suivants ? Justifiez vos réponses.

• une inscription à un club sportif : ....

• une automobile (mettant l'accent sur son freinage ABS) : ....

• des produits alimentaires de grande consommation : ....

• une adhésion à un parti politique : ....

• une marque de bijoux de valeur : ....

• des eaux minérales : ....

• une police d'assurance : ....

• une orthodontie : ....

• un système d'alarme : ....

C. Proposez un exemple supplémentaire de produit ou de service pour répondre à chacun des besoins de la pyramide.

....

....

....

2. PUBLICISTE OU PUBLICITAIRE ?

A. Ces deux termes étant très souvent confondus et assimilés, précisez le sens de chacun d'eux.

Publiciste : ....

Publicitaire : ....

B. Dans certaines des phrases suivantes, il serait recommandable de corriger l'utilisation abusive du terme **publiciste**. Identifiez ces phrases et corrigez-les.

1. Un bon **publiciste** doit notamment faire preuve d'esprit, de créativité et d'une bonne connaissance de la langue.

....

2. Bien qu'il ait été pendant une douzaine d'années président du tribunal civil, Daniel Massiou est surtout connu pour son action de **publiciste**.

....

3. Le Publiciste, comme plusieurs autres journaux, offrait régulièrement à ses abonnés un supplément contenant les textes de lois.

....

4. Certains **publicistes** utilisent à outrance les clichés sexistes dans leurs campagnes.

....

5. Jacques Séguéla est très certainement le plus connu des **publicistes** français ; les plus grandes marques internationales ont fait appel aux services de son agence.

....

6. Depuis la réforme entrée en vigueur cette année, il est devenu plus facile pour un **publiciste** de réussir l'examen d'entrée au Centre Régional de Formation Professionnelle des Avocats.

....

7. Le premier travail du **publiciste**, c'est toujours d'identifier le public cible pour adapter son message et le rendre efficace.

....

8. Une fois le message élaboré, les **publicistes** conçoivent un plan média pour optimiser l'impact des campagnes.

....

3. COUP DE PUB

Pistes 16-18

A. Écoutez ces publicités radiophoniques et remplissez le tableau.

Spot	Marque produit	Slogan	Ton du message : sensuel, enjoué, dynamique...	Public visé
1.				
2.				
3.				

B. Lisez ce texte sur les messages publicitaires radiophoniques. À quelle catégorie appartient chacun des trois spots de la question **A** ? Respectent-ils ces descriptions et ces conseils d'écritures ? Justifiez vos réponses.

La pub radiophonique

On peut distinguer deux grandes catégories de spots radiophoniques : les monologues et monologues alternés d´une part, et les dialogues d´autre part.

LE MONOLOGUE

Un bon monologue s'écrit comme on raconte une histoire, c'est-à-dire de la façon la plus imagée qui soit. La courte durée du message impose d'employer des termes simples, efficaces, mais suffisamment riches de sens pour stimuler l'imaginaire des auditeurs et leur donner envie d'en savoir plus, d'aller plus loin… Le but étant de provoquer l'acte d'achat, il doit exprimer de manière synthétique la satisfaction de l'utilisateur du produit ou du service vendu. La conclusion doit être suffisamment explicative et informative pour faciliter cet acte d'achat du consommateur potentiel (prix, adresse du magasin…).

Afin de ne pas nuire à l'ambiance créée dans le message, il est fréquent que la conclusion (plus directe et mercantile) soit lue par un autre locuteur que celui du message principal. C'est ce qu'on appelle le monologue alterné.

LE DIALOGUE

Un bon dialogue s'adresse à l'oreille et non aux yeux, ce qui signifie que le texte pourra ne pas suivre les règles de la grammaire de l'écrit… Un bon dialogue comprendra des bouts de phrase, beaucoup de « an-an ! », de « euh »…, plein de mots qui ne figurent pas nécessairement dans le dictionnaire !

Un bon dialogue doit donner l'impression qu'on est réellement en train d'écouter deux personnes se parler de manière spontanée. Le texte doit être direct et familier, sans cérémonie. Un dialogue n'est pas un bon texte écrit.

On ne peut évaluer un dialogue destiné à la radio qu'en le lisant à voix haute : il doit couler. L'impression est tout à fait différente de celle qu'on a lorsqu'on le lit pour soi-même en silence.

Un dialogue réussi est aussi une question de rythme et de naturel.

C. En vous inspirant de l'activité **A** et en suivant les conseils donnés dans l'activité **B**, écrivez le scénario d'un spot publicitaire de 20 secondes sur un produit ou un service de votre choix (une crème solaire, des vacances à la mer, etc.).

4. PAS GLAMOUR POUR DEUX SOUS...

Piste 19

A. Vous allez entendre trois professionnels parler de leur métier. Écoutez-les puis remplissez le tableau.

Professionnel et fonction	Aptitude à parler de son métier	Problèmes rencontrés	Solutions apportées
Anne-Cécile Dulac			
Christian Lenet			
Didier Lejeune	*parle ouvertement de sa profession*		

B. Rédigez une offre d'emploi de représentant commercial pour les pompes funèbres. Faites l'inventaire des forces et faiblesses de ce secteur, tentez de positivez et relevez le défi en rédigeant une annonce attrayante.

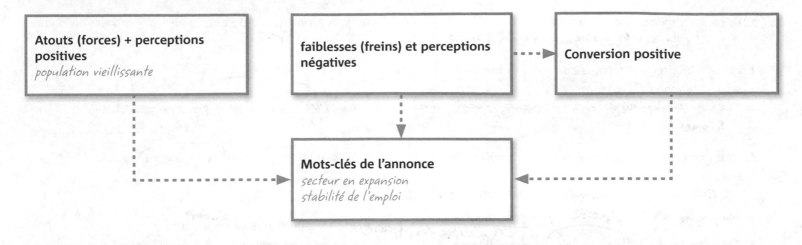

Atouts (forces) + perceptions positives	faiblesses (freins) et perceptions négatives	Conversion positive
population vieillissante		

Mots-clés de l'annonce
secteur en expansion
stabilité de l'emploi

5. FILS DE PUB

A. Dans le roman *99 FRANCS*, désormais *13 euros 99*, Beigbeder, ex-enfant terrible de la publicité dénonce le mercantilisme universel. Lisez cet extrait et expliquez les trois expressions suivantes dans leur contexte.

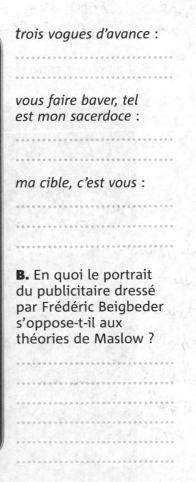

Je me prénomme Octave et m'habille chez APC. Je suis publicitaire : eh oui, je pollue l'univers. Je suis le type qui vous vend de la merde. Qui vous fait rêver de ces choses que vous n'aurez jamais. Ciel toujours bleu, nanas[1] jamais moches, un bonheur parfait, retouché sur PhotoShop. Images léchées[2], musiques dans le vent. Quand, à force d'économies, vous réussissez à vous payer la bagnole de vos rêves, celle que j'ai shootée[3] dans ma dernière campagne, je l'aurai déjà démodée. J'ai *trois vogues d'avance*, et je m'arrange toujours pour que vous soyez frustré. Le Glamour, c'est le pays où l'on n'arrive jamais. Je vous drogue à la nouveauté, et l'avantage avec la nouveauté, c'est qu'elle ne reste jamais neuve. Il y a toujours une nouvelle nouveauté pour faire vieillir la précédente. *Vous faire baver, tel est mon sacerdoce*. Dans ma profession, personne ne souhaite votre bonheur, parce que les gens heureux ne consomment pas.

Votre souffrance dope le commerce. Dans notre jargon[4], on l'a baptisée « la déception post-achat ». Il vous faut d'urgence un produit, mais dès que vous le possédez, il vous en faut un autre. L'hédonisme[5] n'est pas un humanisme : c'est du cash-flow. Sa devise ? « Je dépense, donc je suis. » Mais pour créer des besoins, il faut attiser la jalousie, la douleur, l'inassouvissement : telles sont mes munitions. Et *ma cible, c'est vous*.

Frédéric Beigbeder, *99 FRANCS* © Éditions Grasset & Fasquelle, 2000.

1. familier, jeune fille.
2. soigné(e).
3. photographier. Une séance photo publicitaire s'appelle un *shooting*.
4. langage propre à un groupe d'individus.
5. doctrine qui fait de la recherche du plaisir le fondement de la morale.

trois vogues d'avance :
....
....

vous faire baver, tel est mon sacerdoce :
....
....

ma cible, c'est vous :
....
....

B. En quoi le portrait du publicitaire dressé par Frédéric Beigbeder s'oppose-t-il aux théories de Maslow ?
....
....
....
....
....
....

C. À partir de ce texte, de l'extrait de l'ouvrage de Philippe Delerm (En contexte, *livre de l'élève*) et de votre expérience personnelle en tant que consommateur, exprimez votre propre vision du monde de la publicité dans un essai d'une vingtaine de lignes.

(handwritten, top right) Use the feminine form of the adjectif + ment

6 Activités et exercices

6. LA PLACE DE L'ADVERBE

A. Réécrivez les phrases suivantes en ajoutant l'adverbe ou la locution adverbiale à la place qui convient. Parfois, plus d'une solution est acceptable.

1. Tu parles français ? [couramment]
   Tu parles français couramment ?

2. Les publicitaires ont recours aux sciences humaines dans les études de marché. [souvent]
   Les publicitaires ont souvent recours aux sciences...

3. C'est une catastrophe : notre dernière campagne est passée inaperçue. [presque]
   C'est une catastrophe : notre dernière campagne est passée presque inaperçue — *modifies the adjectiv*

4. Cette campagne est bien réussie. [remarquablement]
   bien goes with réussie

5. Nous nous sommes aperçus de notre erreur de cible. [immédiatement]
   Nous nous sommes immédiatement aperçus de... — *c'est toute la phrase* — *Au début ou à la fin*
   (handwritten left margin) Affects whole phrase

6. Nous avons trouvé un nom pour leur nouveau produit. [enfin]
   enfin

7. Passez ce dossier à Sylvie. [tout de suite]

8. Regarde bien, je l'ai vu tout à l'heure. [là-bas]

9. Je pense que nous avons insisté sur l'aspect ludique de la campagne. [trop]
   trop

10. Il est venu me voir. [aujourd'hui]
    aujourd'hui — *au début ou à la fin*

B. Complétez cette règle grammaticale.

(handwritten left margin) First think of what the adverb is referring to: whole phrase? Verb? Adjective?

LA PLACE DE L'ADVERBE DANS LA PHRASE

• Appliqué à toute la phrase : On peut le placer indifféremment ...au début... ou ...à la fin... de la phrase.

• Appliqué à un adjectif ou à un autre adverbe : Lorsqu'il modifie un adjectif ou un autre adverbe, on le place ...avant... celui-ci.

• Appliqué à un verbe :

1. Aux temps simples, on le place toujours ...après... le verbe.

2. Aux temps composés :

– Les adverbes de lieu sont placés ...après... le participe passé.

– Les adverbes de temps sont généralement placés ...après... le participe passé, à l'exception de *toujours, souvent, encore, déjà* et *jamais* qui sont toujours placés ...entre... l'auxiliaire et le participe passé.
   (handwritten) hier, de nos jours... avant après enfin d'abord quelquefois ensuite finalement a déjà dit...

– Les adverbes de manière en –ment (*radicalement, remarquablement*, etc.) peuvent être placés indifféremment ...après... le participe passé ou ...entre... l'auxiliaire et le participe passé.

– Les autres adverbes de manière (*bien, mal*, etc.) se placent toujours ...entre... l'auxiliaire et le participe passé.
   (handwritten) vous avez bien compris

– Les adverbes de quantité et d'intensité (*trop, beaucoup*, etc.) se placent toujours ...entre... l'auxiliaire et le participe passé.

7. UN ADVERBE POUR CHAQUE CHOSE

A. Donnez le contraire de chacun des adverbes suivants. Puis illustrez chaque paire d'une phrase qui intègre les deux.

avant	après	*On est sortis du cinéma avant/après la fin du film.*
beaucoup	peu	
bien	mal	
dehors	dedans	
dessus	dessous	
devant	derrière	
jamais ≠	toujours	
loin	près	
moins	plus	
partout	nulle part	
rapidement	lentement	
silencieusement	~~bruyament~~ bruyamment	
tard	tôt	

B. Proposez un adverbe ou une locution adverbiale synonyme pour chacun des adverbes suivants.

- guère : ....
- présentement : ....
- sans doute : ....

- seulement : ....
- tout à fait : ....
- environ : ....

8. SAGESSE ET IMPERTINENCE

Reconstituez ces proverbes et citations populaires en associant un élément de chaque colonne, puis essayez d'expliquer leur signification.

1. Plaie d'argent…	**a.** ne profite jamais.
2. Le cœur…	**b.** qu'on reconnaît ses amis.
3. C'est dans le besoin…	**c.** en vaut deux.
4. Un homme averti…	**d.** les borgnes sont rois.
5. Bien mal acquis…	**e.** n'a rien.
6. Au royaume des aveugles…	**f.** n'est pas mortelle.
7. Qui ne tente rien…	**g.** a ses raisons que la raison ignore.

1. ....

2. ....

3. ....

4. ....

5. ....

6. ....

7. ....

9. LE LEXIQUE DE LA PUBLICITÉ

Associez les mots de même sens entre la liste de droite et celle de gauche.

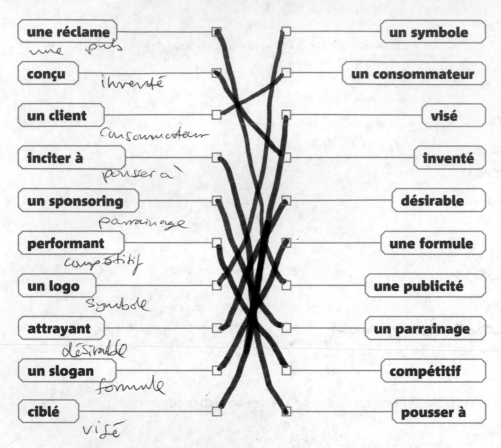

Liste de gauche	Liste de droite
une réclame *une pub*	un symbole
conçu *inventé*	un consommateur
un client *consommateur*	visé
inciter à *pousser à*	inventé
un sponsoring *parrainage*	désirable
performant *compétitif*	une formule
un logo *symbole*	une publicité
attrayant *désirable*	un parrainage
un slogan *formule*	compétitif
ciblé *visé*	pousser à

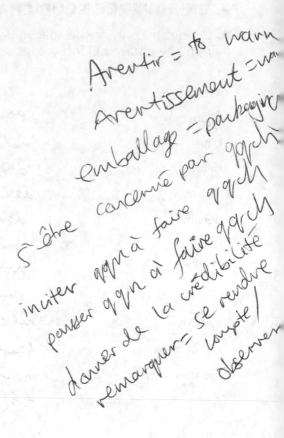

Avertir = to warn
Avertissement = warn
emballage = packaging
être concerné par qqch
inciter qqn à faire qqch
pousser qqn à faire qqch
donner de la crédibilité
remarquer = se vendre /
loupte / observe

10. LES MARQUES DEVENUES NOMS COMMUNS

Voici une liste de marques à succès entrées dans le langage courant, mais pourriez-vous proposer pour chacune d'elle une explication ou un synonyme ?

Un alcootest	Un bottin	Un esquimau	Un jacuzzi	Un k-way	Un vespa	Un tupperware
....	....	....	....	....	....	....
....	....	....	....	....	....	....

Du scotch	Des pataugas	Des pampers	Du sopalin	Un bodyboard	Un digicode	Un escalator
....	....	....	....	....	....	....
....	....	....	....	....	....	....

11. AU PARFUM

Un parfumeur français fait appel à vos services publicitaires pour lancer sur le marché trois nouveaux parfums Synthétisez ces informations pour aboutir à un slogan et proposez un nom pour commercialiser chacun des trois parfums. Justifiez ensuite vos choix.

Parfum	A	B	C
Fragrances	Boisé et chaud : notes de santal et de chêne	Fleuri et vanillé : bouquet floral riche	Hespéridé : notes d'agrumes (citron, orange, mandarine)
Caractéristiques	Durable, élégant, masculin, frais, présent	Très féminin, présent, classe, durable	Très frais, jeune, discret, unisexe, moderne, original
Public : cœur de cible	Hommes (25-45 ans), actifs, plutôt urbains	Jeunes femmes actives (20-35 ans), élégantes, urbaines et modernes à la fois	Jeunes (16-25 ans), hommes et femmes, très mode, urbains, noctambules

- Parfum A : ....
- Parfum B : ....
- Parfum C : ....

12. LES AUTRES MÉTIERS DE LA PUB

A. Avant de lire les définitions ci-dessous, proposez une définition de ces métiers de la publicité : *roughman / marketeur direct / chef de pub / médiaplanneur / directeur de création.*

....
....
....

B. À présent, écrivez en face des définitions les noms des métiers.

1. Il réalise les esquisses d'un spot ou d'une annonce. ....

2. Il constitue les fichiers de clients en tenant compte de leurs caractéristiques et choisit un support de communication adapté (courrier, mailing, phoning, SMS...). ....

3. Il est l'intermédiaire entre l'annonceur et les créatifs. Il recueille les besoins de l'annonceur, élabore et propose une stratégie de campagne, négocie les budgets. Il prépare également le travail des créatifs puis présente leurs propositions au client. ....

4. Il est l'expert de la pub qui prévoit et organise le passage des campagnes sur les différents supports (télévision, radio, Internet, panneaux publicitaires...). ....

5. Il est le chef des équipes créatives. Il supervise le travail de ses équipes composées de binômes (directeur artistique et concepteur-rédacteur). ....

vos stratégies ❌

Dans le monde de la publicité, l'anglais est très présent que ce soit pour les noms des métiers que pour les techniques de marketing (sponsoring, base line, etc.). Il est aussi présent dans les slogans des publicités françaises.

6 Phonétique et orthographe

13. AR-TI-CU-LEZ !!!

Piste 20

A. Écoutez et répétez chacune des phrases suivantes. Soulignez pour chacune d'elles sur quel(s) phonème(s) porte le défi de prononciation.

1. Pour qui sont ces serpents qui sifflent sur vos têtes ?

2. Tintin est très content. Il boit du bon vin blanc dans une guinguette.

3. Je vais chez ce cher Serge qui pêche la seiche au chalut.

4. De gros grêlons dégradent Grenade.

5. Chasseurs qui chassez, sachez chasser sans chien !

6. Zazie causait avec sa cousine en cousant.

7. Je veux et j'exige d'exquises excuses de ce juge.

8. Trente-trois tortues trottaient tristement sur trois toits étroits.

9. Ton thé t'a-t-il ôté ta toux tenace ?

10. C'est combien ces six saucissons-ci ? C'est six sous ces six saucissons-ci.

11. Cette taxe fixe excessive est fixée exprès par le fisc.

12. Les chaussettes de l'archiduchesse sont sèches et archi-sèches.

14. LES ADVERBES

A. Formez l'adjectif puis l'adverbe à partir des expressions suivantes.

	Adjectif au masculin	Adjectif au féminin	Adverbe
Avec passion	passionel	passionelle	passionellement
Avec dédain *disdain*	dédaigneux	dédaigneuse	dédaigneusement
Avec paresse	paresseux	paresseuse	paresseusement
Avec tendresse	tendre	tendre	tendrement
Avec peine	penible	penible	peniblement ?
Avec prudence	prudent	prudente	prudemment
Avec opiniâtreté	opiniâtre	opiniâtre	opiniâtrement
Avec innocence	innocent	innocente	innocemment
Avec sottise	sot	sotte	sottement
Avec fermeté	ferme	ferme	fermement
Avec élégance	élégant	élégante	élégamment ?
Avec discrétion	discrét ?	discrète	discrètement
Avec assiduité	assidu	assidue	assidûmment ?
Avec franchise	franc	franche	franchement
Avec vaillance	vaillant	vaillante	vaillamment
Avec modération	modéré	modérée	modérément

B. Choisissez 3 adverbes de cette liste et faites des phrases en relation avec l'actualité de votre pays ou celle de la France.

15. RÉALISER UN SPOT RADIO

Voici donc 3 grands conseils qui vous aideront dans le travail de conception.

Conseil n°1 : chercher la ligne directrice

Commencez par faire la fiche d'identité de votre publicité en vous aidant de la fiche d'identité d'une publicité du manuel (Tâche ciblée, réalisation). Puis, essayez de définir avec précision la façon avec laquelle vous allez communiquer.

▶ Quel est le sujet (en relation avec le produit) abordé ?

▶ Comment parle-t-on de ce thème chez les concurrents ?

▶ Comment pourriez-vous le présenter afin de capter l'attention de l'auditeur (une discussion entre amis, une situation humoristique, une réflexion en monologue, ...) ?

Fiche d'identité de votre publicité

Type de produit :	Objet / Concept / Événement
Description :	Propriétés / Forme / Prix / Pourquoi votre produit est-il meilleur que celui de la concurrence ? / En quoi est-il original ou nouveau ?
Nom commercial :	Nom de la marque
Slogan :	
Public visé :	

Conseil n°2 : scénariser le message

Du fait du format sans images du spot radio, chaque mot devra être réfléchi et direct.

▶ Comment voulez-vous que l'auditeur réagisse ?

▶ Voulez-vous qu'il vous appelle pour avoir plus d'informations ? Qu'il se précipite dans votre magasin ? Qu'il se souvienne de votre nom ?

▶ Sur quel(s) registre(s) allez-vous communiquer : familier, courant ou soutenu ?

▶ Quel sera le fond sonore ? Musique, bruitages ?

▶ Comment donner un rythme au discours (intonations, accélération de la parole,... ?

▶ Comment les concurrents scénarisent-ils ce message ?

▶ Comment pourriez-vous le présenter afin de capter l'attention de l'auditeur (unediscussion entre amis, une situation humoristique, une réflexion en monologue, ...) ?

Conseil n°3 : faire attention au timing

La plus grande difficulté dans un spot radio, c'est le temps. Privilégiez un format de 120 mots en comptant environ 2 à 3 mots par seconde. Puis, prenez un chronomètre ou une montre et lisez votre texte à voix haute. Vous serez peut-être surpris de la longueur !

---

vos stratégies ✕

Média préféré des Français, la radio fait aussi partie des outils plébiscités par les publicitaires. En effet, pour une société, un espace pub(licitaire) à la radio coûte beaucoup moins cher que sur la plupart des autres médias. Cependant, concevoir un spot radio n'est pas un exercice simple du fait du format très court (30 secondes) et de l'unique recours à la voix, sans élément visuel pour faire passer le message.

vos stratégies ✕

Ne faites pas de phrases de plus de 20 mots : elles sont difficiles à lire pour l'acteur et peu mémorisables pour l'auditeur. Laissez votre slogan ou message pour la fin ! L'auditeur se souvient plus facilement des dernières secondes du message.

1. « NOUS, ON KIFFE LE HIP-HOP »

Piste 21 **A.** Lisez cet article puis écoutez l'interview de Kamel, leader du groupe de hip-hop *D'or et Jin*. Notez dans un tableau les points sur lesquels Kamel est d'accord avec l'article et ceux sur lesquels il diverge.

MUSIQUE

D'or et Jin en concert au théâtre de Suresnes Jean Vilar

PUISSANCE ET ÉLÉGANCE DU HIP-HOP

PAR CORINA COR Cela fait plus de trente ans en France que le hip-hop, ce mouvement culturel né dans les rues de New York, séduit et fascine un public toujours plus large.

Le hip-hop français est une imitation du mouvement hiphop né dans les ghettos newyorkais au début des années 70. Les mêmes réalités sociales (marginalisation, pauvreté, drogue, violence des gangs) ont favorisé, 10 ans plus tard, une identification des jeunes Français issus de l'immigration avec les populations noires et hispaniques des métropoles américaines. On reconnaît, par exemple, cette filiation dans les textes pessimistes et destructifs qui caractérisent le « parler-chanter » du rap français. La manière athlétique de danser, à la façon de James Brown, précurseur du break dance (technique de danse au sol), ou encore de s'habiller trop large façon baggy nous rappellent aussi que nous sommes face à une manifestation culturelle de la mondialisation.

Le groupe D'or et Jin, excellent représentant du hip-hop français, a électrifié un public venu nombreux hier soir au théâtre de Suresnes. D'or et Jin a prouvé que le hip-hop est du grand spectacle. Les quatre composantes de la culture hip-hop ont été superbement mises en scène par ces cinq hip-hoppeurs de la

banlieue parisienne : le rap avec Kamel, le chanteur du groupe ; le break dance de P'tit Mic et Lili Style. Le deejaying a été assuré par Julius, absolument extraordinaire dans ses techniques de mixage et - élément très rare dans des spectacles de hip-hop en salle - Jonathan, le taggeur du groupe, a signé les graffitis exécutés sur des panneaux géants installés sur scène et dans la salle, au beau milieu des spectateurs. En somme, un spectacle dynamique, à la fois puissant, sensuel et élégant qui montre la vitalité de la culture hip-hop.

Théâtre de Suresnes Jean Vilard, place Stalingrad
Suresnes (Hauts-de-Seine)
Du 6 au 31 janvier
Tél. : 01 46 97 98 10

Points en accord	Points divergents

B. Réécoutez cette interview en suivant attentivement la transcription. Compilez dans un tableau les éléments propres au registre oral familier de cette interview.

Le langage familier se caractérise par...		
des prononciations différentes des standards phonétiques.	l'emploi de mots issus des registres familiers ou argotiques, ou d'origine étrangère (vocabulaire)	un non-respect ou un assouplissement des règles de grammaire.
- « chuis » pour je suis	- « kiffer » pour aimer	- « Y a » pour il y a (disparition du pronom sujet il)

2. APOCOPES

Retrouvez les apocopes de ces quinze mots dans la grille ci-dessous.

restaurant sympathique télévision

appartement faculté géographie

professionnel promotion cinéma

extraordinaire gymnastique adolescent

mathématiques professeur ordinateur

O	R	D	I	P	R	O	F
C	A	C	I	N	E	R	A
H	B	F	K	J	S	P	D
A	P	P	A	R	T	R	O
P	R	F	L	C	O	E	G
M	O	B	G	Y	M	D	S
Y	M	A	T	H	S	U	L
S	O	I	N	S	T	I	T
E	L	E	T	C	A	T	A
Z	P	O	A	R	T	X	E

3. EN FAMILLE

Piste 22

A. Écoutez les dialogues et indiquez ce que ces mots familiers signifient en registre standard.

A. Un **bouquin** est : ☐ une fleur. ☐ un sac à main. ☐ un livre.	**B.** Des **fringues** sont : ☐ des chaussures. ☐ des vêtements. ☐ des accessoires de mode (foulard, ceinture...).	**C.** L'expression **Ça fait un bail** veut dire : ☐ ça fait (très) longtemps. ☐ ça fait (très) plaisir. ☐ c'est très amusant.
D. Vache signifie : ☐ gentil/gentille. ☐ méchant(e). ☐ exigeant(e).	**E.** Les **gosses** et les **mômes** désignent : ☐ les instituteurs/trices. ☐ les devoirs. ☐ les enfants.	**F.** La **bouffe**, c'est : ☐ l'hébergement. ☐ la nourriture. ☐ les moyens de transport.
G. J'ai vachement bien bouffé signifie : ☐ j'ai très bien compris. ☐ je me suis beaucoup amusé. ☐ j'ai très bien mangé.	**H. Être crevé** veut dire : ☐ être en colère. ☐ être déçu. ☐ être très fatigué.	**I. Pieuter** veut dire : ☐ s'amuser. ☐ se coucher. ☐ se lever.
J. Les **pompes** sont : ☐ des pantalons. ☐ des gants. ☐ des chaussures.	**K.** Le **fric** est : ☐ un agent de police. ☐ le temps. ☐ l'argent.	**L. Être frangines** veut dire : ☐ être ensemble. ☐ être sœurs. ☐ être riches.

B. Inventez un court récit en y intégrant des mots de ce test (minimum 5).

....
....
....
....
....
....

4. YALLAH !

Piste 23

Écoutez cette conversation de café, puis proposez l'équivalent français pour ces mots et expressions.

Mot ou expression d'origine arabe	Équivalent en français standard
pas bézef	
kawa	
un chouïa	
kif-kif	
fissa	

5. « UN TRUC DE OUF, CET EXO ! »

A. Lisez ce texte puis complétez l'encadré sur la formation du verlan.

http://www.magicmaman.com

Décodez le langage des ados

« J'm'en ouf », « tu kiffes »... Petit glossaire pour enfin les comprendre !

Loin du jargon des banlieues, il existe un « langage jeune branché » ! Parfois difficile à comprendre pour les non initiés, il s'appuie sur trois grands courants : le verlan (...), l'anglicisme et les « tics » très tendance (« trop », « de chez », l'économie de mots (...). Vos cheveux se dressent sur votre tête quand vous l'entendez parler ? Dites-vous bien que c'est un passage normal et même obligé pour affirmer son statut d'ado. Le petit glossaire qui suit va vous aider à mieux comprendre ce qu'il dit.

A,b,c,d
Arracher (s') : partir..
Calculer : ne s'emploie qu'à la forme négative pour dire qu'on ignore quelqu'un .
Capter : comprendre, on peut aussi dire « imprimer ».
Chelou : verlan de louche. Chooses : anglicisme pour chaussures.

E,f,g,h
Flamber : se vanter.
Grave : peut signifier bête ou nul selon le contexte.

I, j, k, l
Incruste : l'expression « se taper l'incruste » signifie s'immiscer.

M,n,o,p
Meuf : femme, depuis « meuf » a été « verlanisé » en feum !

Q,r,s,t
Relou : verlan de lourd, qui prend la tête.
Reuch : verlan de cher.
Tèje : verlan de jeter, se faire envoyer balader.
Teuf : verlan de fête.
Tune : argent

U,v,w,x,y,z
Vénère : verlan de énervé.

(...) Le dernier truc « fashion », c'est de prononcer les « i » et les « y » à l'anglaise, c'est-à-dire « aille ». Exemple : « pas de soucis » se dit « no soussaille ! » . Avec un peu de pratique, vous pouvez y arriver. Autre tendance du langage jeune, l'emploi du « de chez ». Ainsi, « relou de chez relou » signifie que quelque chose est pénible ou épuisant . Enfin, la tendance est aussi à l'économie, ainsi on ne dit pas c'est spécial mais « c'est spé ».

VERLAN, MODE D'EMPLOI
l'envers [lãvɛr] ▷ verlan [vɛrlã]
On ne peut pas « verlaniser » tous les mots. Le verlan n'a généralement été fabriqué qu'à partir des mots de deux ou trois syllabes. Dans tous les cas, le mot verlan résultant ne dépasse jamais deux syllabes.
Pour mettre un mot français en verlan, il suffit d' ....

Source : Jean Christophe Laizeau, magicmaman.com.

B. Relisez le glossaire du texte et reformulez les phrases suivantes
en français standard.

1. Il est plein de tunes Arnaud. T'as vu, il roule en cabriolet !

....

2. J'ai un plan teuf pour samedi !

....

3. Après le match, j'étais chargé de nettoyer les vestiaires, c'était trop relou !

....

4. Mate la meuf à Pat', elle est trop mignonne !

....

5. On n'a pas pu s'incruster chez Magalie. On s'est fait tèje par son père qui est rentré
plus tôt !

....

6. Hé, c'est pas Tom là-bas qui flambe avec sa BM ?

....

7. C'est qui ces mecs chelous ?

....

8. T'as capté le cours qu'il nous a fait le prof de français c'matin ?

....

9. 15 euros, la place de ciné ? C'est reuche !

....

antisèche

Les survivants du verlan
Le verlan est beaucoup moins utilisé de
nos jours qu'il y a quelques années. De
nombreux mots subsistent cependant ;
ils sont à considérer - à la date où nous
publions cet ouvrage - comme des
expressions idiomatiques. Survivront-ils au
temps qui passe ? Seul l'avenir répondra à
cette question car le français, comme toutes
les langues vivantes, évolue constamment
et... de plus en plus vite ! « Trop ouf ! ».

6. « QUI A LE PLUS D'ANGLICISMES ? »

A. Lisez et écoutez cette conversation entre un
Français et une Québécoise et relevez tous
Piste 24 les anglicismes.

B. Remplacez ces anglicismes par des mots ou
des expressions français.

C. Votre langue a-t-elle intégré beaucoup de
formes d'une autre langue (ex : les anglicismes).
Citez-en quelques exemples.

....
....
....
....

Québécoise : Ben, on s'voit tantôt ou en fin d'semaine ?

Français : Cette fin de semaine ? Tu dis pas week-end, toi ?

Q. : Est-ce qu'tu m'niaises, avec ton week-end. Tu m'prends pour une
anglophone ou quoi ? Pourquoi veux-tu dire ça en anglais alors qu'on peut
l'faire en français ? Ah ! C'est incroyable, vous qui critiquez toujours not'
manière de parler, la quantité d'anglicismes que vous avez en Europe.

F. : Oh, là là. J'ai touché LE sujet tabou : le français du Québec.

Q. : Ben on voit ben qu'vous-aut', vous avez pas à vous bat' pour défendre
vot' langue, comme nous-aut'.

F. : Non, mais attends... j'peux pas t'laisser dire ça, quand même. J'suis
allé au Québec... et puis on s'connaît pas d'hier. Alors côté anglicismes, ça
manque pas chez vous non plus.

Q. : Moins qu'chez vous-aut', en tout cas, j'suis sûre de ça !!

F. : Ah tu crois ça, toi ? Et alors, quand vous dites, euh... Comment...
« j'ai eu ben du fun » ou euh... « check don' voir si t'as rien oublié dans ta
chambre », c'est français, ça ?!?

Q. : Ben, en tout cas, nous-aut', on fait pas d'« shopping », nous-aut'
on magasine ! Puis quand on y va, on met pas not' auto au « parking ».
Franchement, « parking », c'est frenchie au boutte, ça !

F. : Hummmm... j'vois qu'j'ai encore perdu une occasion de me taire, moi...

Q. : Anyway. C'qui est clair, c'est qu' le français s'dégrade un peu plus
chaque jour et qu'il faudrait qu'on y fasse plus attention si on veut pas
finir par parler tous l'anglais...

7. BRANCHÉS ?

Réécrivez les phrases suivantes en employant un registre de langue plus familier
ou moins formel, correspondant à la langue de tous les jours.

1. Nous sommes allé(e)s dans un restaurant avec ma sœur et nous y avons très bien mangé.

....

2. As-tu fini l'exercice de mathématiques que le professeur nous a donné ?

....

3. Qu'est-ce que nous allons faire ce week-end ?

....

4. Pourriez-vous m'indiquer où se trouve le bureau des renseignements, s'il vous plaît ?

....

5. Tu n'aurais pas vu mon dictionnaire de poche, par hasard ?

....

6. Faut-il vraiment faire cela ?

....

7. Elle a des problèmes avec une collègue et elle a fait part de ces problèmes à la direction.

....

8. Il ne voit pas souvent ses parents. La dernière fois qu'il leur a rendu visite, c'était il y a deux ou trois ans.

....

8. POUR TOUT SAVOIR

A. Pour chacune des questions ci-dessous, cochez le registre de langue auquel
elle appartient, puis reformulez-la dans les deux autres registres que vous
indiquerez dans les cases correspondantes.

		Familier	Standard	Soutenu
1.	Pourriez-vous m'indiquer, je vous prie, le chemin pour aller voir le stade olympique ?			X
	Vous pouvez... m'indiquer le chemin ... s'il vous plaît / Est-ce que vous pouvez...	X		
2.	À quelle heure est prévu le vol ?		X	
	À quelle heure est-el que le vol est prév... / Pourriez-vous m'indiquer l'heure quand il est prév le vol?			X
3.	Et qu'est-ce que t'en penses ?		X	
	T'en penses quoi? / Qu'en pensez-vous? / penses-tu?	X		X
4.	Sauriez-vous me dire s'il pense venir bientôt ?			X
	Est-ce qu'il pense venir bientôt? / Vous sauriez me dire...	X	X	

2. À quelle heure le vol est-t-il prévu? Soutenu

B. Imaginez que vous avez besoin de 50 euros. Comment allez-vous vous adresser à chacune de ces personnes ? Écrivez ces questions.

familier • à un bon copain ou une bonne copine : *Tu ~~pourrai~~ peux me prêter 50 euros), s'il te plaît*

standard • à votre grand-mère : *Est-ce que ~~vous pourriez~~ tu pourrais me donner 50 euros ? prêter*

soutenu • à un voisin ou une voisine : *~~Pour~~ (Madame/Monsieur), ~~vous~~ pourriez à me prêter 50 euros. -vous*

9. LES MALHEURS DE LUCAS

A. Lucas a posté une consultation sur le site *CoachETvous* pour demander conseil. Lisez son message puis répondez-lui comme si vous étiez psychologue.

---

http://www.coachetvous.fr

CoachETvous

Lucas, 23 ans, Marseille

J'ai un problème avec la fille avec qui je vis. On est ensemble depuis presque un an et je suis fou amoureux d'elle. Je pensais que cet été on partirait en vacances ensemble et, jusqu'à la semaine dernière, elle était d'accord pour aller 15 jours en Grèce. Mais maintenant, elle parle de passer les vacances seule de son côté. Elle dit qu'elle a besoin de liberté. Pour moi, c'est terrible car je vis mal le fait qu'elle ne veuille pas être avec moi cet été. Est-ce que je suis un romantique ringard ? Je ne sais pas quoi faire car j'ai peur de la perdre.

B. Écoutez le message que Lucas a également laissé sur la boîte vocale de l'émission de radio et barrez tout ce qu'il ne prononce pas.

Piste 25

C. Dites ce texte comme le fait Lucas. Enregistrez-vous puis comparez avec l'enregistrement pour ajuster votre imitation.

vos stratégies ✕

Registres et formes
Attention, l'association entre les différentes formes de question et les registres de langue est à comprendre en termes de fréquence d'utilisation auxquels il faut y ajouter un lien étroit avec l'origine géographique du locuteur francophone et non comme une règle absolue. Ainsi, l'inversion verbe-sujet est beaucoup plus fréquente chez les Africains francophones et au Québec. À l'oral, il est fréquent d'alterner les différentes formes pour éviter, par exemple, le phénomène de lassitude que produirait un emploi systématique des structures **est-ce que** et **qu'est-ce que**. Alors, comme les francophones, pensez à varier vos structures interrogatives.

antisèche

Voyelles avalées
Il est très fréquent à l'oral d'omettre certaines voyelles et syllabes. C'est d'autant plus vrai que l'on tend vers le registre familier. Mais entendons-nous bien... il s'agit d'une tendance et non d'une norme ! Ce phénomène varie beaucoup d'un locuteur à l'autre, notamment en fonction de son origine géographique.

10. PREMIERS VERS

Complétez ces deux extraits de poèmes avec les fragments proposés.
Tenez compte du fait que le schéma de rimes du poème de Verlaine est
ABBA, et que celui de Baudelaire est ABAAB.

[une autre, et m'aime et me comprend.]

[de coco, du musc et du goudron.]

[duvetés de vos mèches tordues]

[ardemment des senteurs confondues]

[l'azur du ciel immense et rond ;]

[chaque fois, ni tout à fait la même]

[et que j'aime, et qui m'aime,]

Mon rêve familier

Je fais souvent ce rêve étrange et pénétrant
D'une femme inconnue ....
Et qui n'est, ...
Ni tout à fait ....

Paul Verlaine

La chevelure

Cheveux bleus, pavillon de ténèbres tendues,
Vous me rendez ....
Sur les bords ....
Je m'enivre ....
De l'huile ....

Charles Baudelaire

11. RIMES ET CHANSONS

A. Pour réaliser cette activité cherchez un slam (ou tout autre type de
chanson si vous préférez) qui vous plaît, puis cherchez-en les paroles.
Vous pouvez également vous aider pour vos recherches des liens qui
vous sont proposés sur **http://20.rond-point.emdl.fr/**.

B. Votre texte en main, recopiez le tableau ci-dessous sur une feuille et
faites l'inventaire du type de rimes que vous y trouvez et des schémas qu'elles
donnent aux couplets et au refrain.

Nature des rimes	Rimes masculines		
	Rimes féminines		
	Rimes riches		
	Rimes suffisantes		
	Rimes pauvres		
Schémas	Rimes plates		
	Rimes croisées		
	Rimes embrassées		
	Autres types de rimes		

12. NON, C'EST NON !

A. Observez ce corpus de phrases négatives puis complétez la règle.

• N'y va pas si tu n'en as pas envie !

• Ne me dis jamais que je ne t'avais pas prévenu !

• Il n'y a pas de fumée sans feu.

• Je suis épuisée, je n'en peux plus !

• En vertu de la législation en vigueur, prière de ne pas fumer.

• Cette place étant réservée aux personnes handicapées, merci de ne plus y stationner votre véhicule.

• Je n'ai pas encore visité le Luxembourg.

• Nous sommes immédiatement tombés d'accord. Je n'ai rien eu à redire.

PLACE DE LA NÉGATION
DANS LA PHRASE
• À l'infinitif : ....
....
....
• Aux temps simples : sujet + ne + verbe + pas / 2ᵉ élément de négation
• Aux temps composés : ....
....
....
• À l'impératif : ....
....
....

B. Renforcez l'aspect négatif de ces phrases à l'aide de la particule négative proposée entre parenthèses.

1. Je n'ai pas de doutes sur les capacités de ce candidat. *(aucun/e)*

....

2. Le directeur ne prend pas le temps de nous expliquer l'importance des nouveaux projets. *(jamais)*

....

3. Ne le répète pas ! *(personne)*

....

4. Désolé(e), mais je n'ai pas de temps à vous consacrer. *(plus)*

....

5. J'ai eu beau chercher, je n'ai pas retrouvé ce dossier. *(nulle part)*

....

6. Allume la lumière, on n'y voit pas ! *(rien)*

....

13. AVOIR VINGT ANS ?

Précisez le sens des phrases suivantes en proposant une phrase équivalente.

1. Je n'ai pas vingt ans. = ...

2. Je n'ai plus vingt ans. = ...

3. Je n'ai que vingt ans. = ...

4. Je n'ai pas encore vingt ans. = ...

14. LIONS, LIEZ

A. Observez attentivement les lettres en caractères gras de ces phrases. Indiquez instinctivement si vous faites une liaison ou pas, si vous avez le choix de la faire ou non.

	a. Instinctivement,...		b. À l'écoute,...	
	je fais une liaison.	je ne fais pas de liaison.	la liaison se fait.	je n'entends pas de liaison.
1. Où es**t-e**lle?				
2. Vou**s ê**tes charmant.				
3. Je sui**s a**llée.				
4. Tou**t e**ntier				
5. Le**s h**éros sont fatigués.				
6. Un **h**omme				
7. Les **h**aricots verts				
8. C'est **i**diot.				
9. Pierre e**t I**sabelle				
10. Le**s É**tats-**U**nis				
11. Chers **e**nfants				
12. Mes **a**mis				
13. Une poire e**t u**ne banane				

Piste 26 **B.** Écoutez maintenant ces phrases et corrigez vos réponses si nécessaire.

15. LES LIAISONS

Piste 27 Écoutez ces phrases puis indiquez où se fait la liaison.

1. Nous sommes allé(e)s dans un restaurant avec ma soeur et nous y avons très bien mangé.

2. Rachid c'est un sensible, un écorché et un vanneur.

3. Elle vise à rappeler que l'art du slam se concentre uniquement sur les mots et non sur les objets.

4. Au petit matin, ça sent l'yaourt. Y connaissent pas les œufs bacon.

5. Il s'agissait d'une première pour la Blegique en cinq éditions, à la coupe du monde de slam, puisqu'il est arrivé quatrième.

6. Qu'est-ce que nous allons faire ce week-end ?

7. Le directeur ne prend pas le temps de nous expliquer l'importance des nouveaux projets.

8. Rater une affaire aussi importante. C'est impensable !

16. CAP SUR L'AUTHENTICITÉ

A. Vous avez pris conscience qu'il n'existe pas une langue française mais des langues françaises. Observez ces différents documents et dites en quoi ils peuvent contribuer à votre apprentissage.

B. Et vous ? Avez-vous déjà eu recours à l'une de ces stratégies ?

....
....

C. Prenez des résolutions et élaborez une stratégie pour donner plus d'authenticité à votre français. Résumez-la dans l'encadré **vos stratégies**.

vos stratégies ⊗

Pour me familiariser avec le français comme on le parle, je pourrais ....
....
....
....
....

8 C'EST LA LUTTE FINALE !

1. LE MONDE DU TRAVAIL

A. Placez les mots de la liste à côté de la définition qui convient.

> embaucher gaspiller harceler formaliser le chômage le salaire les frais (m.) licencier démissionner le contrat
> le poste le congé le syndicat la subvention le rapport une plénière le personnel la direction

1. Renoncer officiellement à une fonction, à une charge, à une dignité. ....

2. Engager (quelqu'un) en échange d'un salaire, pour une durée plus ou moins longue. ....

3. Dépenser (de l'argent) sans discernement, dissiper (une fortune, un patrimoine) avec une prodigalité désordonnée. ....

4. Tourmenter (une personne ou un animal) en le poursuivant sans cesse. ....

5. Ensemble des personnes qui dirigent une entreprise. ....

6. Rendre officielle ou explicite une demande ou une activité voilée. ....

7. Situation d'une personne, d'une entreprise, d'un secteur entier de l'activité économique caractérisée par le manque de travail. ....

8. Dépenses de toutes sortes occasionnées par quelque chose. ....

9. Congédier, renvoyer une personne ou un ensemble de personnes à titre provisoire ou non. ....

10. Permission pour quelqu'un de s'éloigner d'une personne ou d'un lieu auxquels on est lié par des obligations. ....

11. Accord de volonté entre deux ou plusieurs personnes faisant naître des obligations entre elles. ....

12. Place, position assignée à une ou plusieurs personnes. ....

13. Qui siège avec tous les membres qui lui sont propres ; qui se déroule avec la participation de tous les membres prévus. ....

14. Association constituée par les membres d'une même profession, de professions similaires ou connexes, ou de professions différentes relevant de la même branche d'activité, en vue d'étudier et de défendre leurs droits. ....

15. Action de transmettre une information ; l'information ainsi transmise. ....

16. Aide financière accordée à une personne à titre de secours. ....

17. Somme d'argent remise au salarié qui représente le prix de sa force de travail et dont le montant est fixé. ....

18. Ensemble des personnes qui travaillent dans une société. ....

Source : *Trésor de la Langue Française* - ATILF/CNRS-Université de Lorraine - www.atilf.fr/tlfi

B. Proposez une phrase pour illustrer chacune de ces définitions.

Démissionner : Après quinze ans de bons et loyaux services, il a démissionné de son poste de directeur financier en raison de son désaccord avec la nouvelle direction.

C. Maintenant, regardez ces mots ou expressions et retrouvez leurs synonymes dans la liste précédente. Faites une phrase avec chacun d'eux.

la paie : ....

les dépenses : ....

jeter l'argent par les fenêtres : ....

mettre à la porte : ....

recruter : ....

l'inactivité : ....

2. SOURD COMME UN POT

Le grand-père est sourd.
Écrivez les phrases au
discours indirect pour les
répéter au grand-père.

3. D'ACCORD OU PAS D'OPINION

Voici la liste de ce que Simon (17 ans) a dit à son père. Rapportez
ce que le père a transmis à la mère.

1. Je voudrais pouvoir rentrer plus tard le samedi soir.

2. Avec une moto, ce serait plus rapide pour aller au lycée.

3. Je suis sûr que j'étudierais mieux si je ne partageais pas ma chambre
   avec mon frère.

4. Je ne comprends pas pourquoi l'école est obligatoire jusqu'à 16 ans.

5. Avec Fredo, on aimerait partir en vacances ensemble l'été prochain.

6. J'aimerais que tu me prêtes la maison de campagne pour fêter mon
   anniversaire avec les copains.

1. ....

2. ....

3. ....

4. ....

5. ....

6. ....

antisèche

La modification du temps du verbe
est une façon, pour le rapporteur,
d'exprimer sa neutralité.

4. CHER AMI

A. Lisez ces courriers ou mails. À qui sont-ils adressés ? Quel est leur objet ?
Complétez les deux encadrés ci-contre.

Jean Prévost
33 boulevard de Strasbourg
31000 Toulouse

Monsieur Gilbert Castex
52 place Saint-Étienne
31000 Toulouse
Toulouse, le 27 avril 2013

Monsieur le Directeur,

Employé en tant que directeur des ressources humaines de l'entreprise SORRIN depuis le 5 mai 1997, je vous présente ma démission et ce, pour convenance personnelle. Sachant que la durée de mon préavis est de 2 mois, je quitterai votre entreprise le 27 juin 2013.
Comme prévu dans la convention collective je souhaiterais m'absenter 2 heures deux fois par semaine pour entreprendre la recherche d'un nouvel emploi.
Je vous serais reconnaissant d'en prendre acte et je vous prie, Monsieur le Directeur, de bien vouloir agréer l'expression de mes sentiments distingués.

Jean Prévost

Amiens, le 22 avril

Ma chérie,

Ce petit mot pour fêter un grand événement : tes 18 ans !
J'ai préféré t'envoyer ce chèque plutôt que de choisir un cadeau sans toi. Je regrette tellement d'être loin dans un pareil moment, mais bientôt nous serons ensemble et nous irons toutes les deux dans un bon restaurant pour fêter ça.
À très bientôt et surtout prends bien soin de toi.
Je t'embrasse très fort.

Mamie Georgette

Jeannine Albouy
78 rue Verdier
12200 Villefranche

Caisse régionale d'Assurance maladie
Section : vieillesse
21 place du Rouergue
12200 Villefranche

Villefranche, le 28 janvier 2013

Madame, Monsieur,

Je vous serais reconnaissante de bien vouloir m'adresser le relevé de mes cotisations d'assurance vieillesse et de m'indiquer le nombre de trimestres valides à ce jour.
Avec mes remerciements anticipés, veuillez agréer, Madame, Monsieur, l'expression de mes salutations distinguées.

Jeannine Albouy

À: lumier15@gmail.fr

De: sophieLoi@yahoo.com

Objet: Merci !

Chère Madame Lumier,

Un grand merci pour avoir pris en charge ma mère pendant mon absence. Je vous suis très reconnaissante pour votre dévouement et votre gentillesse.

En attendant de pouvoir vous remercier de vive voix, je vous prie de croire, Madame Lumier, à l'expression de ma profonde gratitude.

Sophie Loiron

Joël Lambert
22 place du Marché
15000 Aurillac

Aurillac, le 28 novembre 2013

Référence de la commande : 22-18WD
N° de client : 334678
Objet : manteau livré le 27 novembre 2013

Madame, Monsieur,

J'ai passé commande, le 30 octobre 2013, d'un manteau en laine de mouton et je reçois à la place un blouson en cuir.
En conséquence, je vous retourne cet article que je n'ai jamais commandé et vous demande de bien vouloir me rembourser les frais occasionnés par ce renvoi. Je vous serais reconnaissant de bien vouloir effectuer la livraison adéquate dans des délais raisonnables.
Veuillez agréer, Madame, Monsieur, l'expression de mes salutations distinguées. ?

Joël Lambert

Pour qui ?
1. Monsieur le Directeur
2. Ma chérie = La petite fille
3. Caisse d'Assurance maladie
4. Madame Lumier
5. Service Clientèle

Pourquoi ?
1. Présenter sa démission
2. Félicitation de son anniversaire
3. Demander un relever des cotisations
4. La remercier pour s'occuper sa mère
5. Recevoir le produit qu'il a demandé

B. Notez les différentes expressions utilisées.

- Pour se présenter : *en tant que* ... *je vous serais reconnaissant*
- Pour remercier : *à l'expression de ma profonde gratitude* / *Avec mes remerciements anticipés* / *grand merci*
- Pour informer :
- Pour s'excuser : *written*
- Pour demander des informations :
- Pour se plaindre :

C. Associez les formules de politesse utilisées pour terminer ces lettres.

1. À une relation qui n'est pas intime mais pour laquelle vous avez une certaine sympathie

2. Dans un courrier administratif, commercial ou d'affaires

3. À une personne avec qui vous entretenez des relations amicales ou intimes

4. Pour exprimer son respect, son dévouement ou sa considération

a. Je vous prie, Monsieur le (*responsabilité*), de bien vouloir agréer l'expression de mes sentiments distingués.

b. Je t'embrasse très fort.

c. Veuillez agréer l'expression de mes salutations distinguées.

d. Veuillez agréer, Madame, Monsieur, l'expression de mes salutations distinguées.

[handwritten top margin: If only I had... j' construit... Si seulement je j'avais... Ojala que hubiese prefendo...]

5. REGRETS

Ces personnes regrettent certaines choses qu'elles ont faites ou n'ont pas faites. En suivant l'exemple, imaginez quelles en ont été les conséquences et quels sont les regrets formulés.

J'ai décidé de suivre un cours intensif de flamenco le mois avant mes examens.

☞ Ça m'a pris trop de temps et je n'ai pas réussi deux matières importantes, j'aurais dû laisser le flamenco pour les vacances !

1. C'était l'anniversaire de ma grand-mère, mais je n'y suis pas allé(e). *Ça l'a fait triste. J'aurais dû y aller.* ✓

2. J'ai préféré arranger une vieille maison en ruine plutôt que d'en construire une neuve. *Enfin le projet m'a coûté plus d'argent. J'aurais dû construire une neuve.*

3. C'est le 5 du mois et j'ai déjà dépensé tout mon salaire. *[faire les examens] Je ne sais pas comment je vais payer les factures. J'aurais dû ~~sauver~~ plus d'argent.*

4. J'ai attendu dimanche pour terminer mes devoirs. *Je n'ai pas eu le temps suffisant pour les terminer. J'aurais dû commencer les devoirs le vendredi soir.*

5. J'ai voulu prendre la voiture pour aller à Londres au mois d'août. *~~Maintenant~~ C'est pour ça que la saveur n'est pas agréable. J'aurais dû suivre la recette.*

6. J'ai fait le gâteau sans suivre la recette. *Pendant le mois d'août il y aura des travaux. J'aurais dû choisi le mois de juillet.*

7. Je n'ai pas voulu déménager quand les prix des appartements étaient encore accessibles. *Maintenant, les prix sont presque double. J'aurais dû déménager auparavant/avant.*

8. Je n'ai pas pris de GPS pour le voyage. *Maintenant je suis perdue. J'aurais dû prendre un GPS pour m'aider.*

[handwritten note: J'aurais dû/pas + infinitif, negative + de]

6. HIER, ILS ONT DIT QU'AUJOURD'HUI...

A. Les conversations suivantes entre collègues de bureau ont été enregistrées mercredi dernier. Écoutez-les et complétez les espaces avec des marqueurs temporels.

Piste 28

1.
● Dis donc Jamel, tu sais que .... la réunion aura lieu à .... et pas à .... comme prévu.
○ Oui, oui, je sais, j'en ai pris note et j'ai averti tout le monde .... avant de sortir du bureau. Je me suis mis d'accord avec Jeannine pour préparer l'ordre du jour cet ....
● Ah bon, très bien, c'est parfait. Tu es super organisé.

2.
● Isabelle, tu sais si ...., le projet sera complètement terminé ?
○ Oui, je crois. J'ai entendu M. Lafond en parler ....

3.
● En ce moment, j'ai un boulot fou.
○ Ne m'en parle pas, moi c'est pareil surtout depuis ....: j'ai encore un rapport à terminer, je sais plus où donner de la tête, parce que, tu comprends, je veux tout finir avant de partir en ....
● Tu as de la chance, parce que moi, ..., je dois partir à Berlin pour le salon annuel.
○ Ah oui, c'est vrai... Je te souhaite bien du courage parce que...

B. Quelques jours plus tard, ils font référence à ces conversations. Complétez les phrases en choisissant un des marqueurs temporels de la liste.

| ce jour-là | dans 2 jours | l'après-midi | l'avant-veille | la semaine suivante |
| la veille | le lendemain | le matin même | | |

a. Tu te souviens que *l'autre jour* je t'ai dit que .... j'avais déjà averti tout le monde que l'heure de la réunion prévue pour .... avait changé et que .... je m'occuperais de la préparer avec Jeannine ?

b. Isabelle, ce jour-là, tu m'as dit que tu pensais que le projet serait terminé le mardi de ...., parce que tu avais entendu M. Lafond en parler ....

c. .... nous avions beaucoup de travail : moi, surtout depuis .... à cause d'un rapport que je voulais terminer avant le week-end et toi, tu as dit que .... tu devais partir à Berlin pour le salon annuel.

7. INTERROGATIONS

Observez les questions que se posent ces personnages et imaginez la suite.

1. Il sort tous les soirs à la même heure ; je me demande ....

....

2. Il vient d'épouser une jeune femme qui pourrait être sa fille ; je me demande ....

3. Il arrive tous les soirs bien après la sortie du lycée ; je me demande ....

....

4. Le directeur veut me voir à 17 heures ; je me demande ....

....

5. Elle ne répond pas à mes messages ; je me demande ....

....

se divertir
le divertissement   mene
                      (k)

⊙ 8. AU TRAVAIL, JE DETESTE QU'ON...

Dans les ambiances proposées à droite et en vous aidant des expressions du cadre dressez la liste de ce que vous adorez, détestez, ne supportez pas, etc.

stock
bother

Ce que vous adorez *adorable (and)* *bouleversant*	Ce qui vous laisse indifférent
Ce qui vous bouleverse *molester*	Ce dont vous avez horreur *horrible*
Ce que vous détestez *détestable*	Ce qui vous attriste *triste*
Ce qui vous rend furieux	Ce qui vous indigne *indignant*
Ce que vous ne supportez pas	Ce qui vous rend nerveux /
Ce qui vous étonne *étonnant*	heureux / indifférent
Ce qui vous plaît assez *plaisant*	

En famille

Au travail

Au restaurant

Au cinéma

En vacances

....

....

....

....

....

9. ÉMOTIONS ET SENTIMENTS

Regardez bien ces deux photos. L'une des personnes exprime un regret (photo A) et l'autre un remerciement (photo B). À l'aide des expressions étudiées, imaginez trois phrases que pourraient dire les personnes.

....

....

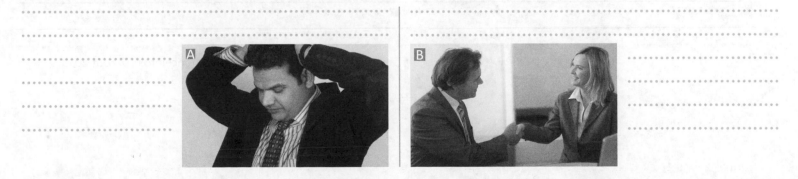

A

B

10. LE LEXIQUE DE LA REVENDICATION

A. Lisez l'article ci-dessous et remplissez le tableau ci-contre avec les points importants de la manifestation.

SOCIÉTÉ

Quimper : des parents séparés de leurs enfants investissent le haut de la cathédrale

Six pères et une mère ont pénétré dans le bâtiment peu avant midi et ont déployé deux banderoles au sommet de la cathédrale. Ils contestent les conditions de garde de leurs enfants.

C'est un nouvel épisode dans la série déjà longue de parents occupant illégalement un monument pour protester contre la difficulté qu'ils ont à voir leurs enfants suite à une séparation.

Mercredi, six pères et une mère ont pénétré dans la cathédrale Saint-Corentin de Quimper et se sont perchés au pied d'une des flèches du monument. Peu avant midi, ils ont déployé deux banderoles : on pouvait lire « Résidence alternée = femme libérée » sur l'une d'elles et « 2 6 jours Maman, 4 jours Papa... en colère » sur l'autre.

Après Nantes en février (la première action de ce type), Grenoble début juillet ou encore Évreux le 3 août dernier, c'est donc au tour de la ville bretonne de Quimper (Finistère) d'être le théâtre d'une nouvelle manifestation de parents réclamant l'égalité parentale dans la garde d'enfants.

Ils accusent la justice d'être « complices de ruptures de relations entre parents et enfants »

« Ces parents revendiquent la résidence alternée systématique en cas de séparation, raconte à *Ouest France* Yannick Bodier, proche des manifestants et présent au pied de la cathédrale. Ils veulent également que les juges revoient leur dossier. Certains papas n'ont pas vu leurs enfants depuis plusieurs mois, et la mère veut que les enfants voient plus leur père qu'ils réclament. »

« Je demandais simplement la garde alternée de mes enfants, ils étaient eux-mêmes demandeurs, raconte au micro de France Bleu Breizh Izel un des manifestants, Daniel Thami. « Je fais ça pour mes enfants, explique-t-il ému. Ils savent ce que je fais aujourd'hui (...) Mes enfants, ce n'est pas de l'argent. C'est ma chair. »

Jean Le Bail fait également partie des parents installés au sommet de Saint-Corentin. Il a expliqué à l'AFP qu'il voulait « qu'en France, les juges aux affaires familiales respectent des principes d'équité entre les deux parties et cessent de se rendre complices de ruptures de relations entre enfants et parents». Il a indiqué que dans son cas, et malgré des décisions de justice en sa faveur, il n'avait pas vu sa fille depuis 2008, à la suite de nombreux refus de présentation de l'enfant par sa mère.

Une action bien préparée

L'action était visiblement bien préparée puisque d'après *France Bleu Breizh Izel*, les sept personnes auraient profité d'une

visite du monument avec l'office du tourisme.

Ils se sont fait passer pour des journalistes en repérage et ont demandé l'organisation d'une visite guidée. Ils sont ensuite montés sur le sommet de la cathédrale avec un guide et n'en sont pas redescendus.

Ouest France précise que les manifestants se sont postés au sommet du monument avec des provisions et des toiles de tente. Ils ont prévu de rester sur place jusqu'à vendredi.

Source : Pierrick de Morel, franceinfo.fr, 7 août 2013.

Lieu de la manifestation	
Profil des manifestants	
Motif de la manifestation	
Mode d'action des manifestants	
Revendications affichées et déployées sur des banderoles	

B. Rapportez à la manière d'un journaliste les paroles des personnes présentes (passages soulignés dans le texte).

• Yannick Bodier nous a rapporté que ....

• Daniel Thami nous a expliqué que ....

11. EXAGÉRER POUR MIEUX S'EXPRIMER

A. Classez ces messages selon ce qu'ils expriment.

1. C'est avec émotion que je vous dis adieu !

2. Nous sommes ravis de savoir que vous arrivez demain !

3. J'aimerais que vous m'accompagniez.

4. J'aurais aimé rester parmi vous !

5. On est touché par votre gentillesse.

6. Merci de m'envoyer ces documents au plus vite.

7. Je n'oublierai pas de vous donner de mes nouvelles.

8. Je regretterai votre compagnie.

9. Je regrette ce qui s'est produit.

10. J'espère vous revoir bientôt.

11. C'est un plaisir de vous accueillir chez moi.

12. Nous regrettons de ne pas pouvoir satisfaire votre demande.

Je veux	Au revoir	Merci !	Faites ça	Dommage
3	1 10	5 6	8 (6)	8
Promis !	**Désolé !**	**Non !**	**Super !**	
7	9 4 12	8	2 11	

B. À présent, ajoutez des adverbes ou des adjectifs (quand cela est possible) pour renforcer le sens de ces messages.

C'est avec une réelle / vive / profonde émotion que je vous dis adieu !

....

....

....

8 Phonétique et orthographe

12. LES FINALES EN [ɛ] OU [e] DE LA CONJUGAISON

A. Écoutez bien ces verbes conjugués et écrivez-les dans la bonne colonne.

Piste 29

	Futur	Imparfait	Conditionnel
1.			
2.			
3.			
4.			
5.			
6.			
7.			
8.			
9.			
10.			

B. Corrigez si nécessaire les phrases suivantes.

1. S'il fait beau demain, je partirais au bord de la mer.

....

2. J'aimerais aller à la plage pour les prochaines vacances.

....

3. Si je travaillais plus, je gagnerai plus d'argent.

....

4. Je ne t'oublierais jamais.

....

5. Si j'étais toi, je ne ferais pas ça.

....

6. La semaine prochaine, j'aurai 35 ans.

....

7. J'irai bien voir cette exposition mais mes amis n'aiment pas cet artiste.

....

8. Je t'appellerai quand je pourrais.

....

9. Je voudrais bien t'aider mais je n'ai pas le temps aujourd'hui.

....

10. Je dînerai ce soir dans ce restaurant.

....

antisèche

À l'imparfait et au conditionnel présent, les terminaisons « -ais », « -ait » et « -aient » se prononcent [ɛ]. Au futur, la terminaison « -ai » (première personne du singulier) se prononce [e]. Cette différence permet normalement de distinguer le conditionnel du futur mais les Français prononcent souvent indifféremment [ɛ] au futur ou au conditionnel.

antisèche

Quand vous avez un doute sur la terminaison, mettez la phrase par exemple à la troisième personne du singulier qui est différente au futur et au conditionnel.
Je viendrai la semaine prochaine. --> Tu viendras la semaine prochaine. (Futur)
Je viendrais bien. Mais mes parents ne veulent pas. --> Il viendrait bien. Mais ses parents ne veulent pas. (Conditionnel)

antisèche

Avec le « si », l'utilisation du conditionnel ou du futur dépend du temps placé avant
Si j'AI le temps, je voyagerai (pas de « s ») car nous avons un présent après le « si ».
Si j'AVAIS le temps, je voyagerais (un « s ») car nous avons un imparfait après le « si ».

13. REDIGER UNE LETTRE DE REVENDICATION

A. Une lettre de revendication exprime bien souvent la colère des employés face à une situation qu'ils jugent inacceptables. Retrouvez dans cette lettre les verbes, adjectifs et adverbes traduisant ce sentiment.

La structure d'une lettre de revendication reprend en général les parties suivantes :

[Les syndicats SNPC France et UNPN des personnels navigants d'Air International] ont adressé ce mercredi 15 février, [une lettre ouverte au président de la République et au ministre des Transports.]

Une identification de l'organisme ou de la personne qui rédige la lettre.

[Notre entreprise, nos emplois, le transport aérien français sont violemment menacés ! Avec la complicité des autorités, l'emploi à Air International est délocalisé !

Une identification claire du ou des destinataires.

On nous arrache notre outil de production. Notre PDG, profitant de la crise actuelle, méprisant ses salariés, vient de créer une filiale grecque avec des navigants soumis au droit social grec pour y délocaliser la majeure partie de notre flotte. Cette manœuvre a pour but de profiter au mieux des bas salaires grecs, et de cotisations sociales inférieures dans le but de délocaliser ses bénéfices.]

[Dans le même temps, notre société a mis en place un « plan social » afin de licencier 90 navigants et compte recruter des salariés soumis au droit grec bien plus avantageux pour les employeurs. Les conséquences sociales et économiques sont proprement scandaleuses : dumping social, délocalisation du marché français, coût du chômage, sabordage de la production française, pertes de cotisations sociales pour les régimes sociaux français…

Une description factuelle, objective et détaillée de la situation problématique, comme si c'était la description d'une photo.

Ces pratiques honteuses font les affaires d'une minorité et causent l'appauvrissement et le désarroi du plus grand nombre.]

[Notre compagnie qui a été bénéficiaire de très nombreuses années connaît des difficultés depuis deux ans nous déplorons qu'aucun plan sérieux d'économie organisationnelle, opérationnelle ne soit mis en place. Il existe des solutions nous les avons proposées à la direction de la compagnie, mais aucune solution interne ne vaudra jamais les perspectives de gains financiers à court terme qu'espère notre Direction avec la délocalisation de son activité vers un pays à moindres coûts sociaux.]

Une description des enjeux, des conséquences possibles qui résultent de la situation problématique pour les individus touchés.

[La partie est perdue pour tous les salariés travaillant en France si l'Europe permet le dumping social.

NE LAISSEZ PAS NOS EMPLOIS DISPARAÎTRE, NE NOUS ABANDONNEZ PAS !]

Une demande claire accompagnée de pistes de solution. Ici, on doit bien expliquer pourquoi on interpelle la personne et ce qu'on voudrait obtenir.

Une ouverture, c'est-à-dire un message général afin que les destinataires se sentent interpellés ou pour leur donner l'impression qu'ils pourraient contribuer à l'amélioration de la situation.

B. À votre tour, rédigez une lettre de revendication sur le sujet de votre choix (délocalisation de votre société, achat de secteurs traditionnels par des investisseurs étrangers, expulsion de sans-papiers,...)

vos stratégies

Si vous rédigez une lettre de revendication, pensez à écrire un message qui soit collectif. La description du problème et des enjeux qui y sont liés doivent être mis en relation avec le groupe de personnes ou l'ensemble du personnel concerné. Cela s'applique également aux solutions que vous allez proposer.

1. TU TE SOUVIENS DE DENIS ?

A. Complétez ce dialogue entre ces deux amis d'enfance.

● J'ai rencontré Denis Levaillant hier au supermarché.

○ Denis Levaillant ! ? ~~Avec qui~~ *Avec qui* tu as fait tes études ? *Celui* ~~lequel~~

● Mais non, tu confonds avec Denis Fréhaut. Levaillant habitait juste au-dessus de chez nous quand on était mômes. Tu jouais toujours *avec lui*.

○ Ah oui, Denis Levaillant. Ouh ! Ça fait une éternité que je ne ~~l~~ *l'* ai pas vu. *(le)* *objet direct*

● Ouais, moi aussi ça faisait une éternité. Mais *il* n'a pas changé.

○ Et tu *lui* as parlé ?

● Oui, bien sûr, nous nous sommes salués. Il est toujours aussi sympa !

B. Relevez dans ces phrases les pronoms qui remplacent « Denis Levaillant », puis classez-les dans le tableau.

	Pronom sujet	Pronom tonique	Pronom COD	Pronom COI	Pronom démonstratif
Denis Levaillant	Il (Il n'a pas changé)	Lui (avec lui)	Le (je ne l'ai pas vu)	Lui (tu lui as parlé)	Celui

C. Réécrivez ce texte en changeant « Denis Levaillant » par les « frères Levaillant ».

● J'ai rencontré les frères Levaillant hier au supermarché. ● Des frères Levaillant !? ~~Avec~~ Ceux avec qui *(lesquels)* tu as fait tes études?

● Mais non, tu confonds avec les frères Fréhaut. Les Levaillants habitaient juste au-dessus de chez nous quand on ~~était~~ était mômes. Tu jouais toujours avec eux.

● Ah oui ! Les frères Levaillant. Ouh! Ça fait une éternité que je ne les ai pas vu. ● Ouais, moi aussi ça faisait une éternité. Mais ils n'ont pas changé. ● Et tu ~~leur~~ leur as parlé?

● Oui, bien sûr, nous nous sommes salués. ~~Il est~~ Ils sont toujours aussi symp

2. LES PRONOMS ANAPHORIQUES

À partir de l'exercice 1, complétez le tableau des anaphores grammaticales.

	Pronom sujet	Pronom tonique	Pronom COD	Pronom COI	Pronom démonstratif
Masc. singulier	*il*	*lui*	~~tui~~ *le/l'*	*lui*	*celui*
Masc. pluriel	*ils*	*eux*	*les*	*leur*	*ceux*
Fém. singulier	elle	elle	la/l'	lui	celle
Fém. pluriel	elles	elles	les	leur	celles

3. L'AFFAIRE ROSWELL

A. Lisez le récit suivant. Afin de ne pas répéter systématiquement le mot *soucoupe volante*, l'auteur a employé d'autres mots. Lesquels ? Soulignez-les dans le texte.

FAITS DIVERS

L'affaire Roswell

Le 8 juillet 1947, une dépêche surprenante, émise par la base militaire de Roswell, au Nouveau-Mexique, parvient aux journaux américains : « L'armée a capturé une soucoupe volante. » L'engin spatial se serait désagrégé au-dessus d'une ferme administrée par William Mac Brazel. L'agriculteur a immédiatement prévenu l'armée qui a aussitôt procédé à la collecte des restes de l'Objet Volant Non Identifié (Ovni). Sur ordre du colonel de la base, la nouvelle a été annoncée aux journaux. Mais, avant que cette information ne paraisse dans la presse du lendemain, la base militaire scientifique de Fort Worth au Texas, où les débris de l'Ovni ont été transportés par avion, a déjà diffusé un démenti. Il s'agit, en réalité, d'une lamentable méprise : on a confondu les restes d'un ballon-sonde avec ceux d'une soucoupe volante ! Des journalistes venus des quatre coins du monde pour voir les débris d'une navette spatiale repartent après avoir vu ceux d'un simple ballon météorologique… On se demande tout de même comment les militaires ont pu confondre les vestiges d'un vulgaire ballon-sonde avec ceux d'un Ovni.

B. L'auteur a également cherché à ne pas répéter *dépêche* et *restes* en employant des substituts. Lesquels ?

Dépêche = émise , ~~transporté~~ nouvelle , information

Restes ⇒ débris , vestiges + ceux

4. VOUS NOUS... NOUS VOUS...

Conjuguez les verbes entre parenthèses. Faites bien attention au sujet de la phrase, à la forme verbale à employer (personne et temps) et à l'ordre des mots.

Monsieur,

Nous vous .... *(informer)* qu'à compter du 05/02/13 notre nouveau domicile sera : 12 rue du Mont, 12202 Villefranche.

En conséquence, nous vous .... *(prier)* de bien vouloir nous faire parvenir votre revue à cette adresse.

Veuillez agréer, Monsieur, l'expression de nos sentiments distingués.

Madame, Monsieur,

Votre annonce dans le magazine *Voyages* m' .... *(avoir)* vivement intéressé.

Je vous .... *(demander)* de bien vouloir m'envoyer le dernier catalogue de votre société.

Je vous .... *(remercier)* à l'avance de votre obligeance.

Veuillez agréer, Madame, Monsieur, l'expression de ma considération distinguée.

Mademoiselle,

Nous avons bien .... *(recevoir)* le dossier de demande d'aide au logement que vous nous .... *(envoyer)*.

Dès que la commission aura rendu son avis, nous vous .... *(contacter)* pour vous informer de sa décision.

Veuillez agréer, Mademoiselle, l'expression de nos salutations distinguées.

Monsieur Janin,

Je vous .... *(écrire)* en tant que président du syndic de la résidence Les Mimosas au sujet des locataires de l'appartement numéro 13, M. et Mme Hainault. Ces personnes sont extrêmement bruyantes à toute heure du jour et de la nuit et nous .... *(empêcher)* de dormir. Nous leur avons .... *(demander)* aimablement à plusieurs reprises de respecter le sommeil des voisins mais sans résultat.

Pour cette raison, nous vous .... *(demander)* d'intervenir afin que ces personnes changent d'attitude.

Dans l'attente d'une réponse de votre part, je vous .... *(prier)* d'agréer, Monsieur Janin, mes salutations distinguées.

5. LE PLUS-QUE-PARFAIT

Complétez les phrases suivantes en employant un verbe de votre
choix au plus-que-parfait.

1. La semaine dernière, il a revu des amis qu'il ....

2. Tanguy vit encore chez ses parents ? Je croyais pourtant qu'il ....

3. J'ai finalement acheté le livre dont vous ....

4. Nous sommes retournées voir la pièce de théâtre que tu ....

5. La victime n'a pas reconnu l'homme qui ....

6. Hier, j'ai reçu par la Poste le livre qu'elle ....

7. Quand je suis passé chez mon amie, elle ....

8. Il a échoué à l'examen parce qu'il ....

6. SI J'AVAIS ÉTÉ VICTOR HUGO !

A. Construisez un petit texte en vous mettant à la place d'un personnage
et en retraçant ce que vous savez de sa vie.

Le personnage

- Un(e) grand(e) écrivain(e) ● Un(e) prix Nobel de la paix
- Un(e) scientifique reconnu(e) ● L'architecte d'un monument de votre ville
- Un(e) ex-président(e) ou gouvernant de votre pays ● Un(e) inventeur/trice
- Une star ● Un(e) homme/femme d'affaires ● Un(e) présentateur/trice de
télévision ● Un(e) aventurier/ère ● Un personnage historique ● Autre...

vos stratégies ⊗

Pour vous aider, pensez à des
questions telles que *Avec qui ?
Quand ? Pourquoi ? Où ? Quoi ?*

Si j'avais été Victor Hugo, j'aurais vécu au XIXᵉ siècle à Paris et j'aurais connu
toute l'élite intellectuelle et politique de l'époque. J'aurais vécu en exil pendant
quelques années. J'aurais écrit des romans mais aussi des poèmes et des pièces de
théâtre.

B. Maintenant, imaginez ce que vous auriez fait différemment si vous aviez été à sa place.

Si j'avais été Victor Hugo, je ne me serais pas mêlé de politique, j'aurais eu moins de problèmes
et j'aurais vécu tranquillement chez moi en France. J'aurais écrit des poèmes et des romans,
mais pas de pièces de théâtre subversives.

7. LES TEMPS DU PASSÉ

Mettez les phrases suivantes au temps qui convient (imparfait / passé composé / plus-que-parfait).

1. Jacques *(être)* un grand architecte. Il *(faire)* ses études à Paris en 1953.

....

2. Le soir, quand il *(finir)* son travail, il *(avoir)* l'habitude de boire un verre au café des Arts.

....

3. Sophie me *(raconter)* ce qu'elle *(faire)* pendant ses vacances au Portugal.

....

4. Mon ami me *(dire)* qu'il *(rencontrer)* Patrick par hasard dans la rue.

....

5. La police *(arrêter)* les braqueurs qui *(dévaliser)* la bijouterie à Nice la semaine dernière.

....

6. Quand l'accident *(avoir lieu)*, ma femme *(dormir)* profondément.

....

7. Ils *(pouvoir)* assister à la finale de basket-ball parce qu'ils *(réserver)* leurs places 2 mois avant.

....

8. Quand nous *(être)* enfants, nous *(aller)* tous les ans passer nos vacances d'été en Bretagne.

....

9. Il *(être)* tard mais sa femme ne *(se coucher)* pas encore.

....

10. Elle ne *(pouvoir)* pas rentrer chez elle parce que le dernier métro *(partir)* déjà.

....

8. PASSÉ SIMPLE

Trouvez les intrus ou les terminaisons mal orthographiées.

1. *Les verbes en -a*

→ Nous parlâmes / Ils allèrent / Nous donnerons

→ Il souffla / Je tombais / Vous rentrâtes

→ Elle arrivera / Nous effaçâmes / Elle hébergea

2. *Les verbes en -i*

→ Nous dîmes / Ils mirent / Ils finissent

→ Il attendit / Nous offrâmes / Vous fîtes

→ Elle vendit / Je perdis / Elles choisissent

3. *Les verbes en -u*

→ Nous lûmes / Je bus / Tu voulut

→ Je fus / Elle sut / Ils vécûrent

→ Elle sus / Il plut / Il fallut

4. *Les verbes en -in*

→ Je viens / Vous tîntes / Il revint

→ Je parvins / Elle soutint / Nous retîmes

→ Nous vîntes / Elle vaint / Nous vîmes

9. MOLIÈRE, UN HOMME DE THÉÂTRE

A. Lisez cette biographie, soulignez les verbes et indiquez leur infinitif.

Molière

Molière, de son vrai nom Jean-Baptiste Poquelin, naquit à Paris en 1622. À l'âge de 13 ans, il rentra au collège de Clermont où il rencontra le prince de Conti. En 1641, il devint avocat puis décida de devenir comédien au lieu de gravir les échelons du droit. Aidé de sa maîtresse Madeleine Béjart, il fonda la compagnie théâtrale l'Illustre-Théâtre. Et c'est à cette époque qu'il prit le nom de Molière. Après 2 ans d'activité, sa troupe fut ruinée. Molière se vit emprisonné pendant 2 jours pour dettes puis libéré grâce à l'influence de son père.

En 1645, Molière rejoignit la troupe de Charles Dufresne puis en devint son directeur 5 ans plus tard. Son ami d'école le prince de Conti aida financièrement la troupe et la protégea en 1653 et ce durant 4 ans. En 1655, il écrivit *L'étourdit* puis fut l'auteur de *Le dépit amoureux*. Après avoir joué devant Louis XIV la pièce *Le docteur amoureux*, le roi accorda à sa troupe l'accès à la salle du Petit Bourbon. En 1659, grand succès avec la pièce *Les précieuses ridicules*. puis deux ans plus tard avec *Sganarelle ou le cocu imaginaire*. En 1662, il épousa la fille de sa maîtresse, Armande Béjart.

Pris de convulsions au cours de la quatrième représentation du Malade imaginaire, Molière expira quelques heures plus tard d'une congestion pulmonaire, le 17 février 1673, chez lui.

B. Classez dans le tableau suivant les verbes par type de passé simple.

Passé simple en *-a*	Passé simple en *-i*	Passé simple en *-u*	Passé simple en *-in*

C. À votre tour, rédigez une biographie sur une personne célèbre de votre choix en employant le passé simple.

10. « LA NOSTALGIE HEUREUSE »

Complétez cet extrait de *La nostalgie heureuse* d'Amélie Nothomb en mettant les verbes au passé simple ou à l'imparfait.

Tout ce que l'on aime devient une fiction. La première des miennes (être) .... le Japon. À l'âge de cinq ans, quand on m'en (arracher) ...., je (commencer) .... à me le raconter. Très vite, les lacunes de mon récit me gênèrent.

Que (pouvoir) .... -je dire du pays que j'avais cru connaître et qui, au fil des années, (s'éloigner) .... de mon corps et de ma tête ?

À aucun moment je n'ai décidé d'inventer. Cela s'est fait de soi-même. Il ne s'est jamais agi de glisser le faux dans le vrai, ni d'habiller le vrai des parures du faux. Ce que l'on a vécu laisse dans la poitrine une musique : c'est elle qu'on s'efforce d'entendre à travers le récit. Il s'agit d'écrire ce son avec les moyens du langage. Cela suppose des coupes et des approximations. On élague pour mettre à nu le trouble qui nous a gagnés.

Il a fallu renouer avec Rinri, le fiancé éconduit de mes vingt ans. J'avais égaré toutes ses coordonnées, sans qu'il soit possible d'y voir une étourderie. C'est ainsi que, de mon bureau parisien, j'ai appelé les renseignements internationaux :

– Bonjour. Je cherche un numéro à Tokyo, mais j'ai seulement le nom de la personne.

– Dites toujours, répondit l'homme qui ne (sembler) .... pas conscient de l'énormité de ma question, l'agglomération de Tokyo comptant vingt-six millions d'habitants.

– Le patronyme est Mizuno, le prénom Rinri.

– .... (épeler), moment pénible, car je n'ai jamais retenu les classiques, et je dis des choses comme « M de Macédoine, R de Rossinante », et au bout du fil je sens qu'on m'en veut.

– Un instant, s'il vous plaît, j'effectue la recherche.

J'attendis. Mon cœur se mit à battre fort. Je (être) .... peut-être à quarante secondes de reparler à Rinri, le garçon le plus gentil que j'aie connu.

Source : *La nostalgie heureuse*, Amélie Nothomb, © Éditions Albin Michel, 2013.

11. EXPRESSION DE TEMPS

Choisissez pour chacune des phrases suivantes la bonne expression de temps.

1. Il a vécu dans cet appartement .... 3 ans. (*depuis / pendant*)

2. Sa passion pour la peinture à l'huile dure .... 10 ans. (*depuis / il y a*)

3. .... mon arrivée, j'ai tout de suite téléphoné à mon ami pour qu'il vienne me chercher. (*depuis / dès*)

4. Nous sommes allés voir un ballet samedi dernier. J'avais réservé des places .... (*le lendemain / la veille*)

5. Cette célèbre actrice a quitté l'hôtel .... les paparazzis ne la remarquent. (*avant que / après que*)

6. .... il aura des informations supplémentaires, il vous les communiquera. (*aussitôt que / à peine*)

7. Les secouristes poursuivront leurs recherches .... ils découvrent le disparu. (*jusqu'à ce que / en attendant que*)

8. .... je ferme à clé la porte de mon bureau, les lumières étaient déjà éteintes. (*à mesure que / le temps que*)

12. BIOGRAPHE DE FAMILLE : UN MÉTIER OUBLIÉ MAIS BIEN VIVANT

Piste 30 **A.** Écoutez ce reportage radiophonique puis cochez la bonne réponse.

Le reportage présente un des plus vieux métiers du monde :

☐ Le rédacteur public.

☐ L'écrivain public.

☐ Le rapporteur public.

B. Écoutez à nouveau le reportage et répondez aux questions concernant Dominique Giudicelli.

1. Dominique Giudicelli officie dans une nouvelle branche de ce secteur. Quelle est sa spécialité ?

....

2. Où reçoit-elle ses clients ?

....

3. Ce métier requiert des qualités bien spécifiques. Parmi les 3 citées ci-dessous, quelles sont les deux présentées par Dominique Giudicelli ?

☐ Il faut savoir écouter avec bienveillance.

☐ Il faut savoir ce qu'on peut dire et ce que l'on ne peut pas dire.

☐ Il faut savoir bien interpréter les personnages et cerner ce que la personne veut transmettre.

4. En venant voir Dominique Giudicelli, que recherchent les clients ?

....

....

5. Quels sont les prix pratiqués ?

....

....

C. Et vous, dans votre pays, ce métier existe-t-il ? Seriez-vous prêt à rencontrer une personne exerçant ce métier ? Pour quelles raisons ?

....
....
....
....
....

13. PETIT BILAN...

Piste 31

Au cours des différentes unités, nous avons vu quelques difficultés orthographiques. Les avez-vous bien assimilées ? Voici une série de phrases comprenant ces pièges orthographiques. Écoutez et écrivez-les.

Phrases dictées
1.
2.
3.
4.
5.
6.

14. À LA CHASSE AUX FAUTES !

Des fautes se sont glissées dans le texte. Trouvez-les et corrigez-les.

Le café

Le café aterrit à Marseille au millieu du XVIIe siècle, en provenance de l'Orient. Louis XIV en buvait, mais le présieux nectar, qui excitait tant les dames de la cours, coûtait alors une fortune. Il fallut attendre le café des colonnies françaises des Antilles pour permettre une large circulacion de cette nouvelle boison, laquelle concurrenca le bon vin français. La mode se mit de la parti et il devint du dernier chique de croquer un chocolat, de boire un moka ou de suser une orange givré. Au XVIIIe siècle, on ouvrit plusieurs établissements de consomation, les « cafés », qui jouèrent un rôle apréciable dans la diffusion des idées contestataires de l'époque. Le Procope, un café qui existe toujours, prit racine près de la Comédie française à Paris. Les amateurs de théâtre s'y retrouvaient. D'autres cafés accueillirent les filosophes, les écrivains, les futurs révolutionaires, qui tous allait modifier l'ordre social et politique. Voltaire, Diderot, et aussi Danton, Marat, Robespierre s'y retrouvaient, entouré de leurs phidèles.

15. LE RÉCIT AU PASSÉ SANS Y AVOIR RECOURS

A. Lisez ce texte et relevez les temps employés.

Henri Salvador

Enfant, Henri Salvador est poussé vers des voies bien classiques... mais il ne sera ni avocat ni médecin. Il découvre très tôt Louis Armstrong et Duke Ellington et décide alors de se lancer dans la musique. Arrivé à Paris, Henri Salvador apprend la batterie, puis la guitare. De 1934 à 1940, il fait l'ouverture du Jimmy's à Montparnasse. Il y rencontre Django Reinhardt pendant la "drôle de guerre". En 1941, il part en tournée avec l'orchestre de Ray Ventura. De retour à Paris à la Libération, Henri Salvador reste fidèle à Ray Ventura jusqu'en 1948, puis entame une carrière solo. Il s'éloigne alors du jazz, et devient un chanteur complet, associant le charme d'un crooner et l'ironie d'un pitre. Le public gagne ainsi l'une des figures les plus attachantes de la variété française. En 1956, il rencontre Boris Vian, qui lui compose plus de 400 titres ; Salvador prend un pseudo et s'appelle désormais Henri Cording. La mort de l'écrivain le laisse orphelin mais il reste malgré tout sur scène. Il crée son label, obtient plusieurs prix et sort des albums sans cesse. Sa voix unique le prédispose au doublage des dessins animés de Walt Disney comme *La Petite Sirène*. Mais c'est en 2002 qu'il revient sur le devant de la scène avec son album *Chambre avec vue*, écrit par Benjamin Biolay, gros succès dans les bacs. Deux ans plus tard, rebelote avec *Ma chère et tendre*, encore plus poétique. En 2006, il sort son dernier album, *Révérence*, affirmant qu'il se retirera de la scène progressivement. En février 2008, le chanteur meurt à l'âge de 90 ans. Henri Salvador restera l'un des chefs de file de la culture populaire française grâce à son talent de conteur et à son attitude de showman.

....
....
....

B. Complétez les deux cadres stratégies.

vos stratégies ✖

Dans un récit au passé, le temps habituellement utilisé pour exprimer les actions successives est le ....
Cependant, il arrive que l'on emploie le .... pour donner plus de vivacité et d'actualité à l'action : on parle alors de « présent de narration ».

vos stratégies ✖

De la même façon, on pourra également trouver un « futur de narration » qui se réfère ici à un moment du .... et le fait est envisagé comme étant encore à venir.

C. Dans la phrase « En 2006, il sort son dernier album, *Révérence*, affirmant qu'il se retirera de la scène progressivement. », quelle est la valeur du futur ? Par quel temps pourrait-on le remplacer si nous changeons le présent du verbe *sortir* par un passé simple ?

....
....
....

DELF B2

Dans ces pages, vous allez vous préparer au **Diplôme d'Études de Langue Française niveau B2**. À ce niveau, vous êtes considéré comme un utilisateur indépendant. Vous avez un acquis un degré d'indépendance qui vous permet d'argumenter pour défendre votre opinion, de développer votre point de vue et négocier. Vous faites preuve d'aisance dans votre discours social et vous êtes capable de corriger vous-même vos erreurs.

Pour commencer, nous allons faire connaissance avec les différentes épreuves qui composent l'examen, leur durée et le barème de notation.

Nature des épreuves : B2	Durée	Note sur
Compréhension de l'oral (CO)		
Réponse à des questionnaires de compréhension portant sur deux documents enregistrés (2 écoutes). Durée maximale des documents : 8 min	0 h 30 environ	/ 25
Compréhension des écrits (CE)		
Réponse à des questionnaires de compréhension portant sur deux documents écrits : - texte à caractère informatif concernant la France ou l'espace francophone ; - texte argumentatif.	1 h	/ 25
Production écrite (PE)		
Prise de position personnelle (contribution à un débat, lettre formelle, article critique...).	1 h	/ 25
Production orale (PO)		
Présentation et défense d'un point de vue à partir d'un court document déclencheur.	20 min. (30 min. préparation)	/ 25
Notation et durée totale des épreuves collectives		
* Note totale sur 100 * Seuil de réussite pour l'obtention du diplôme : 50/100 * Note minimale requise par épreuve : 5/25	Durée totale des épreuves collectives : 2 h 30	/ 100

DELF DOSSIER 1

Le DELF B2. Compréhension de l'oral (CO)

Vous allez entendre 2 fois un enregistrement sonore de 2 minutes environ.

Vous aurez tout d'abord 1 minute pour lire les questions. Puis vous écouterez une première fois l'enregistrement. Concentrez-vous sur le document. Ne cherchez pas à prendre de notes. Vous aurez ensuite 3 minutes pour commencer à répondre aux questions. Vous écouterez une deuxième fois l'enregistrement. Vous aurez encore 5 minutes pour compléter vos réponses.

CO-1
Piste 32

1. Le thème de cette chronique radio est...

☐ la semaine mondiale contre le gaspillage alimentaire.

☐ la première journée de lutte contre le gaspillage alimentaire.

☐ la deuxième édition de la journée de la lutte contre le gaspillage alimentaire.

2. Pour bien comprendre le gaspillage alimentaire, la journaliste explique...

☐ qu'on jette un tiers de la production totale de la planète.

☐ qu'on jette un quart de la production totale de la planète.

☐ qu'on jette un sixième de la production totale de la planète.

3. Cette opération a été fixée à la date du...

☐ 16 octobre.

☐ 13 octobre.

☐ 6 octobre.

4. Que signifie la DLUO ?

....

5. Récemment, un couple d'Américain a décidé...

☐ d'offrir le buffet de réception à 200 sans-abris suite à l'annulation de son mariage.

☐ d'inviter 200 sans-abris à partager le buffet de son mariage.

☐ de donner les restes de son buffet de mariage à 200 sans-abris.

CO-2
Piste 33

1. Pour les ménages français en 2012, le coût des poubelles s'élève à...

☐ 8 milliards d'euros.

☐ 6 milliards d'euros.

☐ 10 milliards d'euros.

2. Les coûts de gestion des déchets issus de la poubelle de tri ont diminué...

☐ grâce à l'augmentation du stockage.

☐ grâce à la vente des matériaux.

☐ grâce à l'incinération.

3. L'autocollant « stop pub » permet...

☐ de réduire le nombre de déchets à 14 kg par an et par habitant.

☐ de réduire le nombre de déchets à 30 kg par an et par habitant.

☐ de réduire le nombre de publicités envoyées par habitant.

4. Qu'est-ce que la tarification incitative ?

....

....

5. Pour peser les déchets,...

☐ les éboueurs sont équipés de puces qui enregistrent le poids des déchets.

☐ les sacs poubelles sont équipés de puces qui enregistrent le poids.

☐ les bacs à poubelle sont équipés de puces qui enregistrent le poids.

Le DELF B1. Compréhension des écrits (CE)

Répondre à des questionnaires de compréhension portant sur deux documents écrits.

CE-1

◀ ▶ + http://www.lepoint.fr

Le Point.fr

Rechercher sur le site >

Hôpital : quand les urgentistes se forment au self-défense.

Face à la hausse des agressions dans les hôpitaux, les mots ne suffisent plus toujours à calmer les patients énervés. Pour éviter de répondre à la violence par la violence, certains établissements de santé investissent dans des formations de self-défense. Le but ? Apprendre à parer les coups et à rester maître de la situation quoiqu'il advienne. Infirmier « à une époque où il faisait encore bon travailler à l'hôpital », Alain Perrier est aujourd'hui à la tête de Scope Santé Sécurité, une société qui propose des cours d'auto-défense spécifiquement conçus pour le milieu hospitalier.

« Nous recevons de plus en plus de demande s», affirme-t-il. Celles-ci ne viennent pas de la « hiérarchie », mais des membres du personnel, placés en première ligne. Du coup, la plupart des devis n'aboutissent pas. « Le sujet est encore tabou », dit-il, déçu. La crainte que les urgences ne se transforment en « ring de boxe » est grande. Malgré tout, en toute discrétion, des hôpitaux font appel aux services d'Alain Perrier. « Un hôpital militaire du centre de Paris s'est rapproché de nous », se plaît-il à raconter. Impossible d'en savoir plus. Coût de la formation ? 1 000 euros par jour pour un groupe de dix personnes. Comptez entre 3 et 5 jours de formation minimum.

« Éviter les bleus »

Alain Perrier n'est pourtant pas l'inventeur du self-défense à l'hôpital. Sa paternité revient à Dominique Grouille, un praticien hospitalier en poste à Limoges. En 1997, après une agression au service des urgences, il met à profit ses nombreuses années passées sur les tatamis. Assisté de François Smolis, infirmier et professeur de karaté, il invente une méthode inédite : la « Grouille-Smolis ». Aux formations théoriques dispensées jusque-là, ils ajoutent la pratique.

« Le but n'est pas de blesser le malade », prévient Dominique Grouille au Point.fr. Mais d'apprendre « les bons réflexes » au personnel hospitalier. L'enseignement est dispensé en trois temps : le dialogue, les techniques de neutralisation et la pratique du self-défense. Face à un couteau, une chaise, un pied de perfusion, un matelas deviennent autant de remparts derrière lesquels se protéger. « Formés, les agents ont beaucoup moins peur. Ils gèrent mieux la violence », se félicite le médecin.

Depuis son hôpital de Limoges, il assure ne pas assister à une flambée des agressions. « Plus de 90 % du personnel des urgences est formé aux techniques de self-défense.» Une méthode efficace ? Oui, mais pas que. Un travail important sur l'accueil des patients a aussi été effectué. La prise en charge dans de bonnes conditions est le premier barrage à la violence. « Le self-défense reste une arme de dissuasion », conclut le médecin.

« Privilégier la fuite »

Guillaume Gandoin, infirmier urgentiste à l'Hôtel-Dieu, est confronté en permanence à cette violence sur son lieu de travail. À Paris, pas de self-défense, mais des vigiles. Chaque jour, ils sont deux cents à veiller sur les trente-huit sites de l'Assistance publique des Hôpitaux de Paris (APHP). « Ils sont là pour calmer le jeu, pour temporiser une situation tendue, mais ils ne sont pas autorisés à toucher le patient », explique-t-il. En dernier recours, il est fait appel aux forces de police. « Des cours de gestion de l'agressivité » sont tout de même dispensés. Le personnel de l'APHP y apprend, entre autres, à faire la différence entre la « violence pathologique » et la « violence gratuite ».

De cette violence quotidienne, Guillaume Gandoin insiste pour dire qu'elle est « compréhensible ». Comme Dominique Grouille, il est conscient que les conditions d'accueil aux urgences jouent un rôle majeur. La douleur, l'attente et l'incompréhension sont autant de facteurs propices à la colère. « Nous n'avons pas le temps de répondre à toutes les attentes des malades », témoigne l'infirmier. Une sensibilité qui ne l'empêche pas de déposer plainte contre les patients les plus violents. « L'administration nous incite à le faire. Et les juges sont très sensibles à notre démarche. »

Source : Le Point.fr, 11 octobre 2013.

1. Cochez VRAI ou FAUX et justifiez votre réponse en citant un passage du texte.

	VRAI	FAUX
1. Les formations de self-défense citées permettent au personnel hospitalier de se battre avec les patients violents. Justification :		
2. Le self-défense à l'hôpital doit son origine à un praticien, amateur des arts martiaux. Justification :		
3. La violence peut naître des mauvaises conditions d'accueil aux urgences. Justification :		

2. Relevez la raison pour laquelle la plupart des demandes de formation en self-défense ne se réalisent pas dans les faits.

....

....

3. Quelles sont les 3 caractéristiques de la méthode « Grouille-Smolis » ?

....

....

4. Pourquoi Guillaume Gandoin juge cette violence comme « compréhensible » ?

....

....

....

5. Expliquez les expressions ou les mots soulignés.

« des membres du personnel, placés en première ligne »

....

....

....

« Le self-défense reste une arme de dissuasion »

....

....

....

« En dernier recours, il fait appel aux forces de l'ordre »

....

....

....

FRANCE

La bataille du dimanche, un imbroglio si français

Kafkaïenne, ubuesque, surréaliste ! On ne sait plus à quel adjectif se vouer pour qualifier l'affaire de l'ouverture des magasins le dimanche, relancée depuis peu par une décision de justice obligeant deux célèbres enseignes de bricolage à fermer le « jour du Seigneur ».

Une chose est sûre, c'est le foutoir. Et un foutoir typiquement français, que l'on peut résumer ainsi : un principe, une loi mal fichue, autant d'exceptions que d'intérêts contradictoires ou d'initiatives sauvages et, à l'arrivée, un mélange sans pareil de confusion, de paralysie et de polémiques.

Reprenons. Le principe était posé depuis une loi de 1906 qui faisait du repos dominical la règle, moyennant des dérogations pour les services publics (hôpitaux, transports, sécurité, musées…) et les commerces d'alimentation (jusqu'à la mi-journée). Peu à peu, à l'instar d'exemples étrangers et du fait des changements d'habitudes de consommation, des dérogations ont été accordées à quelques grandes zones commerciales ou touristiques, ainsi que cinq week-ends par an. Actuellement, 6,5 millions de salariés travaillent donc le dimanche, dont la moitié de façon habituelle.

La loi mal ficelée est récente. Initialement, le candidat Sarkozy de 2007 avait fait de la libéralisation du travail le dimanche un des marqueurs de sa « modernité », contre les « archaïsmes » français. Devant les fortes réticences, y compris dans les rangs de la droite, le texte finalement adopté le 23 juillet 2009 a réaffirmé le principe du repos dominical et donné un cadre légal aux pratiques déjà installées. Mais de façon si confuse qu'il n'a fait qu'embrouiller un peu plus la situation et multiplier les distorsions de concurrence d'une commune à l'autre ou entre secteurs commerciaux.

Dès lors, la polémique ne pouvait que rebondir. Et, dans notre beau pays, elle tourne vite à l'aigre. Entre les défenseurs du repos dominical (consacré à la famille, aux loisirs et aux activités associatives, sportives ou religieuses) et les avocats d'une supposée sacro-sainte liberté de travailler et de consommer. Entre les salariés concernés, qui, pour une partie d'entre eux, trouvent là un utile complément de revenu majoré, et les syndicats, qui multiplient les recours en justice pour empêcher une déréglementation généralisée et peu respectueuse des avantages accordés, en principe, aux travailleurs du dimanche. Entre les magasins de bricolage, aujourd'hui sommés par la justice de fermer ce jour-là (et qui passent outre) et les jardineries ou magasins d'ameublement autorisés, eux, à ouvrir.

Pour tenter de sortir de cet imbroglio, le gouvernement a commandé un énième rapport pour « *examiner les faiblesses* » de la loi. Mais on le devine facilement : il ne pourra que redire ce que l'on sait déjà et qui est parfaitement documenté. Le ministre du budget, Bernard Cazeneuve, posait récemment la question : « *Est-ce que l'on peut créer les conditions d'un dialogue ?* » Bonne question. Mais la réponse est tout sauf garantie, tant on éprouve de difficultés, en France, à trouver le chemin de réformes acceptées, reposant sur des compromis intelligents.

Source : Le Monde.fr, 5 octobre 2013.

1. L'idée principale du début du texte est que…

▢ l'ouverture des magasins le dimanche est difficilement réalisable dans les faits.

▢ la situation économique est favorable à l'ouverture des magasins le dimanche.

▢ l'ouverture des magasins le dimanche n'est pas réalisable « le jour du Seigneur ».

2. Le deuxième et le troisième paragraphes nous expliquent que…

▢ la loi de 1906 et le texte de 2009 ont renforcé l'importance du repos dominical.

▢ les dérogations d'ouverture le dimanche ne sont accordées qu'exclusivement au service public.

▢ la situation s'est un peu améliorée sous la gouvernance de Nicolas Sarkozy.

3. Selon le journaliste, quels seraient les deux facteurs qui remettent en cause la loi de 1906 ?

....

....

....

3. Comment comprenez-vous les termes « modernité » et « anarchaïsme » employés dans le troisième paragraphe ?

....

....

4. Relevez dans le quatrième paragraphe les différentes contradictions soulevées par l'auteur. *(Répondez avec vos propres mots)*

....

....

....

5. D'après vous, l'auteur de l'article…

▢ prend position.

▢ reste neutre.

▢ se veut allusif.

Justifiez votre réponse en relevant une expression du texte.

....

....

6. Expliquez le choix du titre « La bataille du dimanche, un imbroglio si français ! » avec vos propres mots.

....

....

....

Le DELF B2. Production écrite (PE)

Prise de position personnelle argumentée (contribution à un débat, lettre formelle, article critique, etc.)

PE-1

Une réclamation officielle

Vous avez souscrit un abonnement auprès d'un fournisseur d'accès à Internet dont vous avez été très mécontent. Vous avez donc demandé à la compagnie la résiliation de votre contrat par lettre recommandée avec accusé de réception, suivant les indications téléphoniques du service client. Deux mois plus tard, vous constatez que la compagnie continue d'effectuer des prélèvements sur votre compte bancaire. Vous adressez une lettre au Bureau de défense du consommateur de votre ville pour lui demander d'intervenir dans le litige qui vous oppose à cette compagnie. (250 mots environ)

Le DELF B2. Production orale (PO)

Présenter et défendre un point de vue construit et argumenté à partir d'un court texte déclencheur. Débat avec l'examinateur.

PO-1

Vous dégagerez le problème soulevé par le document ci-dessous. Vous présenterez votre opinion sur le sujet de manière argumentée et vous la défendrez si nécessaire.

Langage et e-publicité : les mots de la pub.

En rendant possible l'exploitation du langage utilisé par les internautes, le web a totalement transformé le métier de publicitaire. Avant l'avènement d'Internet, la réussite d'une publicité avait sa part de mystère... Désormais, les retombées d'une campagne publicitaire sont hautement quantifiables. La pub est devenue ultra ciblée, analysable, modulable en fonction de critères scientifiques bien définis.

(...) La réussite d'une campagne de publicité est désormais affaire de technique autant que de créativité. Une question se pose alors : L'exploitation « scientifique » du vocabulaire à des fins publicitaires risque-t-il de reléguer le pouvoir émotionnel des mots au second plan ? L'accroche percutante, le slogan qui marque les esprits est-il à ranger au rang des antiquités ? Répondre par l'affirmative serait ignorer une bonne part de l'intérêt du web en tant qu'outil publicitaire.

(...) la publicité ne doit pas pour autant perdre ses qualités artistiques, culturelles, linguistiques. Je pense notamment aux bannières qui offrent un espace créatif très intéressant, mais sont souvent mal exploitées. Il est tout de même incroyable qu'à l'ère du web 2.0, on se retrouve encore né à né avec des publicités purement descriptives ou informatives : cliquez ici, -50% sur tel produit, découvrez notre gamme... Où est le contenu engageant, convivial, pertinent, drôle ?

(...) A quoi peut bien servir le progrès technique s'il est au service d'idées pauvres ? Si l'on fait de grands pas en avant dans l'optimisation de la publicité d'un point de vue marketing — notamment avec les techniques de tracking et de ciblage ultra précis — l'espace créatif offert par le web aux publicitaires n'est pas encore totalement exploité. Les scientifiques, analystes et autres mathématiciens ont investi le web, faisant de la publicité une arme toujours plus pertinente et efficace. Reste aux créatifs la lourde tâche de la rendre humainement appréciable.

Source : Nicolas Fernandez, redacteur-concepteur.fr, 27 février 2012.

PO-2

Vous dégagerez le problème soulevé par le document ci-dessous. Vous présenterez
votre opinion sur le sujet de manière argumentée et vous la défendrez si nécessaire.

http://www.20minutes.fr

TÉLÉTRAVAIL EN ZONE RURALE :
les entreprises sont très réceptives

TRAVAIL – Afin de repeupler d'actifs le pays de Murat, dans le Cantal, la communauté de communes a initié une politique territoriale pionnière en France axée sur le télétravail. « 20 Minutes » a rencontré Bernard Delcros, son président...

Bernard Delcros, président de la communauté de communes du pays de Murat, répond à *20 Minutes* sur la manière dont le télétravail devient un outil de relance de l'activité dans une région rurale en perte de vitesse comme il y en a beaucoup en France.

En quoi le télétravail permet-il la relance de l'activité en zone rurale ?

La communauté de communes, composée de treize communes, est peuplée de 6 000 habitants à peine [-50% au cours du XXe siècle]. La population est vieillissante et l'objectif est de partir en reconquête démographique grâce à l'économie numérique, qui connaît un contexte favorable actuellement.

Le Cantal représente pour ceux qui y viennent une qualité de vie [fuite du stress, environnement...]. Nous avons commencé à accueillir de nouveaux actifs il y a cinq ans avec la création d'un pôle de télétravail. Il s'agit de garder les jeunes au pays avec la création d'un centre de formation au télétravail. En cinq ans, nous avons accueilli plus de 250 personnes à la recherche d'un emploi ou en reconversion professionnelle, à qui il a été proposé une formation pratique pour démarrer une activité en télétravail. 40% d'entre elles ont créé leur entreprise.

Nous formons pour l'heure essentiellement des télétravailleurs indépendants. Nous sommes passés de deux formations par an à cinq actuellement, pour les indépendants, les salariés et les collectivités.

Comment les entreprises, souvent réticentes, appréhendent-elles votre initiative ?

Les entreprises sont très réceptives. Le télétravail va s'implanter car c'est l'évolution technique. L'organisation hiérarchique stricte telle que nous la connaissons relève du passé, tout comme l'association de la productivité au temps passé dans le bureau.

Aucune entreprise qui s'y est mise n'est revenue en arrière. En France, le frein est culturel et managérial.

Le télétravail est une solution miracle pour les chercheurs d'emploi ?

Les indépendants intègrent un réseau en arrivant et nous assurons un suivi par la suite. Nous les formons à obtenir un marché dans les secteurs du secrétariat, de la télé-transcription, de la traduction, de la communication, du graphisme, du référencement.

Si certains repartent sans succès de notre programme, cela tient à la crédibilité et à la viabilité de leur projet, financièrement et matériellement. Le territoire a gagné en activité, le solde migratoire est toujours négatif mais les commerces se remettent à s'installer. Pour les télétravailleurs indépendants, il faut éviter le risque de l'isolement. Les nouveaux arrivants sont guidés et aidés par l'exemple des précédentes réussites. Et le télécentre joue un rôle important dans cette mise en réseau.

Source : Bertrand de Volontat, 20minutes.fr, 9 juillet 2012..

DELF DOSSIER 2

Le DELF B2. Compréhension orale (CO)

Vous allez entendre 2 fois un enregistrement sonore de 3 minutes environ.
Vous aurez tout d'abord 1 minute pour lire les questions. Puis vous écouterez une première fois l'enregistrement. Concentrez-vous sur le document. Ne cherchez pas à prendre des notes. Vous aurez ensuite 3 minutes pour commencer à répondre aux questions. Vous écouterez une deuxième fois l'enregistrement. Vous aurez encore 5 minutes pour compléter vos réponses.

CO-1

Piste 34

1. À combien évalue-t-on le nombre de francophones dans le monde ?

....

2. Quelle caractéristique la langue française partage-t-elle avec la langue anglaise ?

....

3. Dans quelles parties du monde les francophones sont-ils spécialement présents ?

....

4. Citez 4 organismes, officiels ou non, au sein desquels le français est langue officielle.

....

....

....

5. De quelle manière la France contribue-t-elle à la diffusion de la langue française dans le monde ?

....

6. L'auteur de cet exposé parle de la « mondialisation économique » et de l'« uniformisation culturelle et linguistique qui l'accompagne ». Précisez de quoi il s'agit.

....

....

....

7. Quel est le « nouveau message d'universalité » de la langue française ?

....

....

8. Comment expliquer qu'alors que le français est « la deuxième langue de communication internationale présente sur les cinq continents, il ne se situe qu'à la neuvième place des langues parlées dans le monde » ?

....

....

9. Dans quels secteurs l'enseignement du français est-t-il en augmentation ? Pourquoi ?

....

....

10. En quoi la diffusion du français est-elle indissociable d'une action en faveur du plurilinguisme ?

....

....

11. En résumé, vous diriez que cet exposé sur la présence de la langue française dans le monde est plutôt...

☐ optimiste.

☐ pessimiste.

CO-2

Piste 35

1. Quelques parents ont écrit au chroniqueur radio pour raconter les crises de leur enfant...

☐ lors de l'achat des fournitures pour la rentrée.

☐ lors des courses quotidiennes au supermarché.

☐ lors des repas pris en famille.

2. La psychanalyste Claude Halmos explique que la période est difficile...

☐ car certains parents ont perdu leur travail.

☐ car le prix des fournitures a augmenté.

☐ car les salaires ont baissé.

3. Pour préserver la qualité de vie...

☐ il faut réduire pour apprendre à manger mieux.

☐ il faut faire des économies sur ce qui n'est pas essentiel.

☐ il faut préférer des produits à bas coût.

4. L'expression qu'a citée la psychanaliste est...

☐ « personne ne vit dans un roman de fées ».

☐ « personne ne vit dans un conte de fées ».

☐ « personne ne vit dans un poème de fées ».

5. Contre quoi les parents doivent-ils apprendre à leurs enfants à se battre ?

....

....

Le DELF B2. Compréhension des écrits (CE)

Répondre à des questionnaires de compréhension portant sur deux documents écrits.
Lisez ces textes, puis répondez au questionnaire. Attention : dans les questions à choix multiple, plusieurs réponses proposées peuvent être correctes.

CE-1

http://www.lefigaro.fr

Le figaro

actualité   economie   culture   Rechercher sur le site

Le grand flou des notes à l'école

Un rapport de l'Éducation nationale dénonce « l'incohérence » du système et demande un « véritable cadrage national ». Les signaux envoyés depuis de longues années par l'Éducation nationale sur le thème de la notation auraient donc eu raison du principe même d'évaluation? Telle est la conclusion d'un rapport de l'inspection générale (pdf)*, qui fait état d'une « incohérence » et d'une « illisibilité » sur le terrain.

Développement sauvage d'évaluations alternatives avec une « diversité insoupçonnée de codes » (des notions d'« acquis » - « non acquis » aux lettres, en passant par les couleurs, les smileys…), problème de continuité sur le cursus scolaire, rupture au moment du collège… « Impossible de savoir ce que maîtrisent effectivement les élèves et de comparer les résultats d'une classe à l'autre, d'une école ou d'un établissement à l'autre », explique le rapport qui préconise de « repenser un véritable cadrage national ».

« Impossible de savoir ce que maîtrisent effectivement les élèves et de comparer les résultats d'une classe à l'autre »

Extrait du rapport
Mais dans quel sens ? C'est la grande question sur ce vaste et polémique sujet qui voit s'affronter deux idéologies. D'un côté, les défenseurs de la notation sur 20, au nom de la précision, de la justesse, de l'exigence ; de l'autre, le camp « pédagogiste » qui dénonce sa subjectivité (s'appuyant sur cette science de l'évaluation appelée « docimologie ») et prône une évaluation dite « positive », par opposition à l'évaluation « sanction ».

Au-delà des postures, quelles sont aujourd'hui les pratiques ? Absente ou exceptionnelle en maternelle, présente dans moins d'une école sur trois en élémentaire, la notation chiffrée à l'école primaire est désormais un « épiphénomène », constate le rapport. Les notes ne deviennent régulières qu'à partir du CM1 et au CM2, afin de préparer l'entrée au collège où la notation reste de rigueur. Ce recours aux notes serait plus courant dans des secteurs urbains favorisés, preuve de la pression bien connue des parents sur ce sujet. Le rapport explique d'ailleurs que ces derniers aimeraient tout au moins être informés plutôt que de se trouver « confrontés à la décision des enseignants d'abandonner la notation chiffrée ». De leur côté, les élèves en situation de réussite en redemandent, tandis que les écoliers en difficulté jugent le système « cassant ».

La notion de « compétences », très en vogue

Dans ce « déclin confirmé» de la notation, le rapport perçoit le résultat de la lente prise en compte des préconisations officielles, notamment celles de la circulaire du 6 janvier 1969 ». Dans un contexte post-soixante huitard, ce texte a supprimé les compositions (contrôle « sommatif » et final), les remplace par le contrôle continu et substitue à la notation sur 20 les lettres ABCDE. Vaine tentative puisque rapidement les lettres se sont trouvées agrémentées de + ou de -…
En définissant des « cycles » à l'école primaire, la loi Jospin de 1989 est allée également dans le sens d'un recul de la note. De même que la loi Fillon de 2005 qui a consacré la notion de « compétences » - très en vogue, modèle finlandais oblige -, qui s'accommode mal de la note. Le « socle de connaissances, de compétences et de culture » (que tout élève se doit de maîtriser à l'issue de la scolarité obligatoire) ainsi élaboré, s'est agrémenté du « livret personnel de compétences ». Cette véritable usine à gaz, dont les enseignants ne se sont pas réellement saisis, était censée se substituer à la note, en optant pour les notions d'« acquis », « non acquis ». En réalité, il s'est superposé aux notes, preuve d'une schizophrénie française sur le sujet.

La culture de la note chiffrée reste, elle, forte au collège. La démarche de « classe sans note » est « marginale », constate le rapport qui dénombre 2000 expérimentations de ce type en 2012 dans le second degré. Celles-ci concernent généralement une seule classe. Le rapport évoque des « démarches de tâtonnements », non pas « une démarche expérimentale au sens scientifique du terme ». Il s'inquiète au passage de projets « conçus principalement comme une réponse au manque de travail des élèves, à leur manque de motivation ».

« Il serait vain de trop attendre d'un système où la notation chiffrée aurait disparu », indique enfin le document de l'inspection générale, qui, loin de préconiser une suppression de la notation, en appelle à une réelle réflexion sur la façon d'enseigner et sur l'évaluation. Et sur ce point, il reste beaucoup à faire puisque « l'absence d'objectivité » semble s'être érigée en règle. « On ne sait pas ce qu'on évalue. Les niveaux de performances ne sont pas définis »… Un message que le conseil supérieur des programmes installé le 10 octobre par Vincent Peillon devra prendre en compte. Cette instance est appelée à repenser les contenus et l'évaluation des élèves.

* La notation et l'évaluation des élèves éclairées par des comparaisons internationales, daté de juillet, publié en octobre 2013.

Source : lefigaro.fr, 11 octobre 2013.

1. Cochez VRAI ou FAUX et justifiez votre réponse en citant un passage du texte.

	VRAI	FAUX
1. Le camp des défenseurs de la notation est pour une évaluation positive. Justification :		
2. La notation à l'école primaire intervient surtout dans les 2 dernières années. Justification :		
3. Le livret personnel des compétences avait pour but de renforcer la culture de la note chiffrée. Justification :		

2. Relevez les 3 raisons qui ont abouti au manque de lisibilité de la notation.

....

3. Quel est le ton du journaliste quand il dit « Dans un contexte post-soixante huitard,... »

▢ sensible

▢ sarcastique

▢ élogieux

4. Autour de quelle notion tournait la loi Fillon de 2005 ?

....

5. Au delà de la notation, que préconise le document de l'inspection générale ?

....

6. Expliquez ces expressions.

« Développement sauvage d'évaluations alternatives » ....

....

« Cette véritable usine à gaz » ....

....

« Le grand flou » ....

....

CE-1

Êtes-vous pour ou contre le doublage ?

MARTIN WINKLER

[...] Cela fait bien [...] longtemps que, par expérience personnelle, j'affirme que la diffusion systématique des films et des séries en VOST à la télévision aurait un effet positif sur l'acquisition des langues étrangères par les Français jeunes et moins jeunes. [...]

La semaine dernière, pendant un bref séjour en Norvège, en allumant le téléviseur de ma chambre d'hôtel, j'ai eu la surprise de constater que plusieurs chaînes diffusaient des feuilletons américains, anglais ou suédois en version originale, avec des sous-titres en norvégien. Et cela, non pas à deux heures du matin, mais en pleine journée.

[...] Et je me suis posé la question suivante : si en Scandinavie, où beaucoup de gens parlent souvent deux langues, voire trois, toutes les fictions étrangères sont diffusées en version originale, pourquoi en France, où l'on se plaint sans arrêt du faible niveau linguistique de la population, les chaînes publiques ne font-elles pas de même ?

Dans l'Hexagone, la diffusion des fictions en version originale est microscopique ou inexistante. [...] Les spectateurs qui ne sont reliés ni au câble ni au satellite sont donc privés d'une source d'apprentissage des langues variée, gratuite, et accessible à tous.

Outre qu'elle favoriserait l'apprentissage des langues étrangères, la diffusion des fictions en version originale sur les chaînes publiques aurait plusieurs avantages : comme en témoignent les milliers de jeunes gens qui reviennent chaque année d'un séjour de plusieurs mois à l'étranger, l'immersion dans la langue d'un pays permet une meilleure compréhension de sa culture. La version originale permettrait aussi de respecter les œuvres et leurs interprètes — il suffit d'imaginer ce que peut donner le doublage de Coluche ou de Valérie Lemercier en japonais pour comprendre ce que nous faisons subir à Woody Allen ou à Whoopi Goldberg en les affublant d'une voix française ; tandis que le doublage remplace et souvent dénature le texte original, le sous-titrage, même s'il n'est pas parfait, le complète et l'explicite ; si la VO sous-titrée se généralisait, elle permettrait aussi d'améliorer chez les jeunes spectateurs leur vitesse de lecture du français, leur maîtrise de la grammaire, leur orthographe et leur vocabulaire ; et je n'ai pas besoin de vous dire que les personnes sourdes ou malentendantes, qui sont nombreuses en France, apprécient les sous-titres.

Enfin, sous-titrer des films ou des séries télévisées, c'est plus rapide et beaucoup moins coûteux que de les faire doubler ; au lieu de faire cachetonner les comédiens français sur le doublage des fictions étrangères, l'argent pourrait être investi dans des productions françaises, non ? Etc. On m'objectera que c'est impossible en France, que les sous-titres font fuir les spectateurs, que ça « gêne les personnes âgées », et que tout le monde veut entendre parler français [...].

PASCAL AUBRAC

Personnellement, je ne pense pas que l'on puisse être aussi affirmatif quant à la nécessité et à la qualité des différentes versions. Certaines personnes refuseront d'aller voir un film qui ne soit pas entièrement traduit dans leur langue, d'autres préféreront le voir en version originale sous-titrée et enfin il y a les puristes qui, eux, ne veulent que la version originale sans sous-titres, même s'ils n'y comprennent rien.

Certes, je suis d'accord pour dire que certains doublages sont parfois mauvais, mal interprétés ou chargés de contresens, mais je pense quand même que la plupart des studios proposent une qualité de doublage plus qu'acceptable.

Que ce soit en DVD, sur la télévision numérique ou dans les salles de cinéma des grandes villes, je crois très franchement que notre société actuelle nous propose facilement de voir les films comme on l'entend (VO, VF, avec sous-titres ou non), alors pourquoi s'en priver ?

Qu'on le veuille ou non, la lecture des sous-titres (souvent très rapides), ne permet pas de profiter pleinement des images du film. Le niveau en langues étrangères des Français étant ce qu'il est, pourquoi vouloir empêcher de découvrir un film à une immense majorité de personnes qui n'irait pas le voir en VO ?

Et puis, les doublages n'ont pas toujours que des côtés négatifs, car VO n'est pas synonyme de qualité. Par exemple, quand je vois un acteur comme Nicolas Cage qui, malgré la diversité des rôles qu'il a pu avoir, ne parvient toujours pas à varier son jeu d'acteur, je me dis que le doubleur français arrive, lui, à faire passer ce que N. Cage n'arrive pas à faire en VO... On peut donc dire dans ce cas que le doublage améliore le film...

Enfin, dans certains cas, le doublage s'avère indispensable tant les références culturelles et la langue utilisée sont ancrées dans leur pays d'origine. Je pense, par exemple, à des séries d'animation comme les Simpson ou South Park, incompréhensibles en VO quel que soit notre niveau d'anglais. Dans ces cas-là, il s'agit d'ailleurs plus d'adapter, quitte à s'éloigner de l'original, que de traduire les dialogues.

Quoi qu'il en soit, comme je le disais, la numérisation des médias permet aujourd'hui l'émission simultanée de plusieurs pistes audio et de sous-titres. Alors laissons le choix à chacun de regarder ses fictions comme il l'entend et cessons d'accuser la télé de tous les maux de notre société !

1. Du premier texte, vous diriez qu'il est...

☐ tout à fait favorable au doublage.

☐ assez favorable au doublage.

☐ plutôt contre le doublage.

☐ absolument contre le doublage.

2. Le second texte vous semble...

☐ tout à fait favorable au doublage.

☐ assez favorable au doublage.

☐ plutôt contre le doublage.

☐ absolument contre le doublage.

3. Résumez les arguments pour et contre le doublage des fictions, et indiquez entre parenthèses à quel texte appartient chacun de ces arguments.

Arguments pour	Arguments contre

4. L'auteur du second texte formule une concession dans son argumentaire. Laquelle ?

....

5. Toujours dans le premier texte, l'auteur fait allusion à une injustice. Laquelle ?

....

6. Selon le premier texte, ...

☐ le doublage nuit à la production artistique.

☐ le doublage est un procédé plus rapide que le sous-titrage.

☐ le doublage est un procédé plus coûteux que le sous-titrage.

☐ le doublage est un procédé moins coûteux que le sous-titrage.

7. De manière générale, l'auteur du second texte...

☐ est aussi vindicatif que celui du premier.

☐ est plus conciliant que celui du premier.

☐ a un avis arrêté sur la question du doublage.

8. Avec vos propres mots, justifiez votre/vos réponse(s) à la question précédente.

....

9. D'après le second texte, dans quel(s) cas le doublage s'avère-t-il indispensable et pourquoi ?

....

10. Pensez-vous, comme l'un des deux auteurs, que le doublage constitue un manque de respect des œuvres de fiction et du travail de leurs interprètes ? (Répondez avec vos propres mots et en 5 lignes maximum)

....
....
....

Le DELF B2. Production écrite (PE)

Prise de position personnelle argumentée (contribution à un débat, lettre formelle, article critique, etc.)

PE-1

Voleurs ! Au retour de vos vacances, vous avez tristement découvert que votre domicile avait été cambriolé. Vous avez fait appel aux services de police, avec lesquels vous avez dressé la liste des objets volés. Vous avez ensuite transmis cette liste à votre compagnie d'assurances. Deux semaines plus tard, vous recevez un chèque d'indemnisation du sinistre de cette même compagnie, d'un montant très inférieur à la valeur des objets disparus. Vous écrivez à la direction de la compagnie pour protester et demander une révision de votre indemnité. (250 mots environ)

Le DELF B2. Production orale (PO)

Présenter et défendre un point de vue construit et argmenté à partir d'un court texte déclencheur. Débat avec l'examinateur. Dans cette épreuve, vous allez présenter et défendre un point de vue argumenté à partir d'un court texte déclencheur qui va vous entraîner dans un débat avec l'examinateur.

PO-1

Vous dégagerez le problème soulevé par le document ci-dessous. Vous présenterez votre opinion sur le sujet de manière argumentée et vous la défendrez si nécessaire

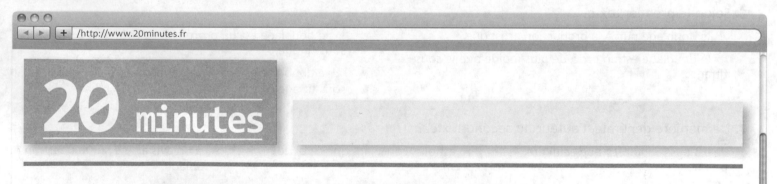

La chirurgie esthétique ne fait gagner que... trois ans

BEAUTÉ - Selon une étude américaine, avoir recours à la chirurgie esthétique serait bien moins rajeunissant qu'on ne le pense...

Tout ça pour ça... Selon une étude publiée sur le site du journal médical JAMA Facial plastic Surgery, aux États-Unis, les personnes ayant recours à la chirurgie esthétique des yeux ou des paupières ne paraissent en moyenne que 3,1 ans de moins que leur âge.
Les chercheurs ont demandé à 50 participants de deviner sur photos l'âge de 49 patients de 42 à 73 ans ayant subi une opération de chirurgie esthétique au niveau des paupières ou des yeux et de noter leur degré de séduction sur une échelle de un à dix.
Ni beaucoup plus jeunes... ni plus séduisants

Ces derniers ont donné spontanément un âge inférieur de 2,1 années à celui figurant sur le document d'identité avant l'opération. Et de 5,2 ans de moins après. Soit un différentiel de 3,1 ans seulement...
Selon la même étude citée par un blog du *New York Times*, les patients n'ont pas été jugé « plus séduisants » après l'opération.
Cette étude ayant été restreinte à des opérations touchants à la zone des yeux ou des paupières, on ne sait pas quel serait le degré de rajeunissement en cas de lifting total du visage, d'injections de botox ou de rhinoplastie.

Source : Anne Kerloch, 20minutes.fr, 16 août 2013.

PO-2

Vous dégagerez le problème soulevé par le document ci-dessous. Vous présenterez votre opinion sur le sujet de manière argumentée et vous la défendrez si nécessaire.

SOCIÉTÉ

Guerre à la saleté dans le métro parisien

La RATP veut en finir avec la saleté du métro. La régie a annoncé hier la mise en place d'un plan de 70 millions d'euros par an, pendant cinq ans, afin de renforcer la propreté du réseau, à compter du 1er octobre.

Ce sont 10 millions d'euros annuels de plus que l'actuel plan, effectif depuis 2007. Pierre Mongin, le PDG du groupe, a souligné hier faire de la propreté « une priorité », expliquant qu'il s'agit d'un « élément essentiel de la qualité du service pour les voyageurs ».

Il s'engage ainsi à ce qu'il y ait « une nette amélioration de l'état du réseau dans les dix-huit mois ». Pour venir à bout des mauvaises odeurs et de l'insalubrité de certaines stations, comme Châtelet-les-Halles ou Auber, la RATP a revu ses exigences à la hausse auprès des cinq prestataires, dont les 1000 agents assurent chaque jour le nettoyage des 366 gares et stations du réseau francilien – soit 1,3 million de mètres carrés –, des 400 kilomètres de voies et du millier de trains.

La RATP va ainsi effectuer 3 400 contrôles inopinés par mois afin de mesurer la qualité des espaces. À cela s'ajoutera un système de « bonus-malus » pour les sociétés de propreté : en cas de manquement, des pénalités pourront être prononcées.

L'étanchéité en question

Par ailleurs, la RATP va lancer un vaste programme contre les infiltrations d'eau de 40 millions d'euros supplémentaires jusqu'en 2015. Celui-ci doit permettre une refonte totale de l'étanchéité de 70 stations, parmi lesquelles Bastille, Charles-de-Gaulle-Étoile, Champs-Elysées-Clemenceau ou Palais-Royal.

Dans ces dernières, l'humidité a fortement détérioré les murs et les plafonds, d'où s'écoule de l'eau sale formant parfois des flaques glissantes. Ces investissements interviennent alors que le groupe RATP affiche un chiffre d'affaires de 2,6 milliards d'euros au premier semestre, soit 4,1 % de plus que l'an dernier à la même période.

Source : directmatin.fr, 3 septembre 2013.

NOUVEAU
ROND-POINT 3
B2

Méthode de français basée sur l'apprentissage par les tâches

CAHIER D'ACTIVITÉS + CD AUDIO

Auteurs
Laurent Carlier, Josiane Labascoule, Yves-Alexandre Nardone, Corinne Royer
Révision pédagogique
Philippe Liria
Coordination éditoriale
Estelle Foullon
Correction
Sarah Billecocq
Conception graphique et couverture
Besada+Cukar
Mise en page
Juan Cruz Barrionuevo
Illustrations
David Revilla

© Photographies et images.
Couverture : Maridav / Fotolia.com ; Fabien R.C. / Fotolia.com ; GettyImages.
Livre : p. 16 gettyimages ; p. 20 Mladen Bozickovic / Dreamstime.com ; p. 23 CRB98 / Fotolia.com ; p. 25 Cla78 / Fotolia.com, eugenaklykova / Fotolia.com ; p. 28 Thomas Pajot / Fotolia.com ; p. 32 juiceteam2013 / Fotolia.com, Wrangler / Dreamstime.com, WavebreakmediaMicro / Fotolia.com, Syda Productions / Fotolia.com ; p. 42 empehun / Fotolia.com, L.Bouvier / Fotolia.com, Konstantin32 / Dreamstime.com ; p. 49 L.Bouvier / Fotolia.com ; p. 50 Jf123 / Dreamstime.com, Brad Calkins / Dreamstime.com, morane / Fotolia.com ; p. 63 wolfelarry / Fotolia.com ; p. 66 Chlorophylle / Fotolia.com ; p. 68 Chlorophylle / Fotolia.com ; p. 71 Wild Orchid / Fotolia.com ; p. 75 auremar - Fotolia.com, dieter76 - Fotolia.com, Mtoumbev / Dreamstime.com, Namamax / Dreamstime.com, Syda Productions / Fotolia.com, Oxfordsquare / Dreamstime.com, Maxim Kostenko / Dreamstime.com, Konstantinos Papaioannou / Dreamstime.com ; p. 81 Kaphoto / Dreamstime.com, Meddy Popcorn / Fotolia.com ; p. 82 Yvann K / Fotolia.com ; p. 86 Wavebreakmedia Ltd / Dreamstime.com ; p. 89 Juulijs / Fotolia.com ; p. 82 AFP/Getty Images ; p. 86 Wavebreakmedia Ltd / Dreamstime.com ; p. 87 robotcity / Fotolia.com ; p. 89 Juulijs / Fotolia.com ; p. 93 Marijus / Fotoliacom p.98 AFP/Getty Images ; p. 94 felix / Fotolia.com ; p. 98 Jonathan Stutz / Fotolia.com ; p. 111 dade72 / Fotolia.com.

© Textes et documents sonores.
 p. 26 TV5 MONDE en notrefamille.com ; p. 28 *Le retour des opposants à Notre-Dame-des-Landes* / lepoint.fr © Reuters ; p. 41 *Le « journal officiel » veut franciser les hashtags en les appelant « mots-dièse »*, Michaël Szadkowski, Blog Rézonances / lemonde.fr, 23 janvier 2013 ; p. 52 *La ville idéale dont rêvent les Français* / leparisien.fr, 2 décembre 2010 ; p. 59 Frédéric Beigbeder, *99 FRANCS* © Éditions Grasset & Fasquelle, 2000. ; p. 68 *Décodez le langage des ados*, Jean Christophe Laizeau / magicmaman.com ; p. 76 Trésor de la Langue Française - ATILF/CNRS-Université de Lorraine - www.atilf.fr/tlfi ; p. 82 *Quimper : des parents séparés de leurs enfants investissent le haut de la cathédrale*, Pierrick de Morel / franceinfo.fr, 7 août 2013 ; p. 92 *La nostalgie heureuse*, Amélie Nothomb © Éditions Albin Michel, 2013. ; p. 93 extrait sonore : *Biographe de famille : un métier oublié mais bien vivant.* / rfi, 31 août 2011, (l'intégralité du texte est disponible sur rfi.fr) ; p. 97 *Comment réduire la facture des ordures ménagères ?*, Fabienne Chauvrière / franceinfo.fr, 5 octobre 2013 ; *Hôpital : quand les urgentistes se forment au self-défense* / lepoint.fr, 11 octobre 2013 ; p. 100 *La bataille du dimanche, un imbroglio si français* / lemonde.fr, 5 octobre 2013 ; p. 102 *Langage et e-publicité : les mots de la pub*, Nicolas Fernandez / redacteur-concepteur.fr, 27 février 2012 ; p. 103 *Télétravail en zone rurale : les entreprises sont très réceptives*, Bertrand de Volontat / 20minutes.fr, 9 juillet 2012 ; p. 105 *Comment dire non à son enfant*, Bruno Denaes / franceinfo.fr, 5 octobre 2013 ; *Le grand flou des notes à l'école* / lefigaro.fr 11 octobre 2013 ; p. 110 *La chirurgie esthétique ne fait gagner que... trois ans*, Anne Kerloch / 20minutes.fr, 16 août 2013 ; p. 111 *Guerre à la saleté dans le métro parisien* / directmatin.fr, 3 septembre 2013.

N.B : Toutes les photographies provenant de www.commons.wikimedia.org sont soumises à une licence de Creative Commons (Paternité 2.0 et 3.0).

Nous tenons à remercier France Info et rfi ainsi que l'ensemble des médias pour leur aimable collaboration.

© Les auteurs et Difusión, Centre de Recherche et de Publications de Langues, S.L., 2013

ISBN : 978-84-8443-986-8
Dépôt légal : B-22253-2013
Imprimé dans l'UE.

maison des langues

www.emdl.fr